ÉTUDES EFFICACES

Méthodologie du travail intellectuel

Sylvain St-Jean

LES ÉDITIONS
CEC
QUEBECOR MEDIA

8101, boul. Métropolitain Est, Anjou (Québec) Canada H1J 1J9
Téléphone : (514) 351-6010 • Télécopieur : (514) 351-3534

Directeur de l'édition
Philippe Launaz

Directrice de la production
Danielle Latendresse

Directrice de la coordination
Sylvie Richard

Chargé de projet
Daniel Marchand

Révision linguistique
Sophie Lamontre

Correction d'épreuves
Sarah Bernard

Illustrations
Élisabeth Eudes-Pascal

Conception graphique et réalisation technique
Dessine-moi un mouton

L'Éditeur tient à remercier les consultants et les consultantes dont les noms suivent pour leurs judicieuses suggestions, leur grande disponibilité et leur professionnalisme :

Philippe Bouchard, Cégep Marie-Victorin
Hélène Boulay, Collège de Maisonneuve
Pierrette Deschênes, Cégep de Trois-Rivières
Jean-François Léonard, Cégep de Victoriaville
Denis Philippe Paradis, Cégep Saint-Jean-sur-Richelieu
Serge Provencher, Cégep de Saint-Jérôme

Les Éditions CEC inc. remercient le gouvernement du Québec de l'aide financière accordée à l'édition de cet ouvrage par l'entremise du Programme de crédit d'impôt pour l'édition de livres, administré par la SODEC.

© 2006, Les Éditions CEC inc.
8101, boul. Métropolitain Est
Anjou (Québec) H1J 1J9

Dépôt légal : 2006
Bibliothèque et Archives nationales du Québec
Bibliothèque et Archives Canada

ISBN : 2-7617-2356-2

Imprimé au Canada
1 2 3 4 5   10 09 08 07 06

INTRODUCTION

Deux étudiants dotés d'une intelligence équivalente étudient une heure. Le premier obtient 85 % à une évaluation et le second, 70 %. À quoi attribuer cette différence ? À l'efficacité, le premier ayant de meilleures méthodes de travail.

Ce manuel vous propose des méthodes pour augmenter votre efficacité. S'il est vrai que personne d'autre que vous ne peut décider du nombre d'heures à consacrer à vos études, il est également important que vous sachiez que la qualité d'un travail ne dépend pas uniquement du temps que vous lui accordez, mais aussi de la façon dont vous travaillez. Avec de bonnes méthodes, vous travaillerez plus vite et vous aurez plus de latitude pour atteindre le niveau de compréhension et d'approfondissement nécessaire à votre réussite scolaire. En un mot, vous serez plus efficace. Vous y gagnerez en confiance et en satisfaction personnelle.

Travailler, intellectuellement ou manuellement, c'est d'abord accomplir des tâches selon un horaire et, dans certaines circonstances, collaborer avec d'autres personnes. En conséquence, les méthodes d'organisation constituent la première grande partie de cet ouvrage. Les tâches spécifiques sont ensuite regroupées en deux grandes catégories : obtenir de l'information et transmettre l'information.

Chaque chapitre comporte trois types d'éléments : des méthodes, des exercices afin de vous permettre de vous entraîner, et un pense-bête pour faire le tour des points à retenir et à mettre en pratique.

Des ressources complémentaires sont mises à votre disposition sur le site Internet d'*Études efficaces* (www.editionscec.com/etudesefficaces). Il s'agit d'exercices ou de documents pratiques proposant des raffinements ou des approfondissements de certaines méthodes.

Une remarque importante s'impose : en général, les méthodes de travail intellectuel sont faciles à comprendre. Cependant, il faut consentir à faire des efforts sérieux pour les appliquer. Modifier ses méthodes de travail signifie changer un comportement. C'est souvent plus ardu que d'apprendre de nouvelles notions. C'est pourquoi, au-delà de la présentation des méthodes, l'ouvrage propose une démarche d'apprentissage fondée sur des étapes simples et des exercices pertinents. Avec le temps, vous pourrez étoffer et bonifier ces démarches.

PRÉSENTATION DES CARACTÉRISTIQUES

Cet ouvrage se présente comme une boîte à outils dans laquelle vous pourrez puiser selon vos besoins. Cela dit, certains chapitres gagnent à être consultés en premier.

Commencez la lecture de ce manuel par les chapitres « Gérer son temps et ses tâches » ainsi que « Gérer ses conditions de travail ». Par la suite, initiez-vous à la lecture avec le chapitre « Lire ». Enfin, comme le travail d'écriture est incontournable pour un étudiant, consultez le chapitre « Rédiger ».

Ne cherchez surtout pas à modifier toutes vos méthodes de travail en même temps. Ce serait aussi difficile qu'illusoire et vous risqueriez de vous décourager inutilement.

Explication des composantes

En début de chapitre

- Un sommaire annonce le contenu du chapitre.
- Des questions visent à mettre en lumière certaines lacunes dans vos méthodes de travail.

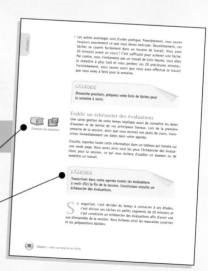

Tout au long de l'exposé

- Différentes icônes facilitent la navigation dans l'ouvrage.
- Des exercices vous permettent de mettre en pratique les méthodes proposées.

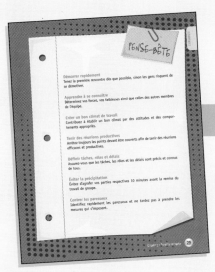

En fin de chapitre

- Un pense-bête clôt chaque chapitre et fait un rappel des points importants.

Sur le site Internet de l'ouvrage

- Différents exercices, tests et documents sont mis à votre disposition. Certains d'entre eux peuvent être téléchargés et adaptés à vos besoins.
- Rendez-vous à l'adresse suivante : www.editionscec.com/etudesefficaces.

Explication des icônes

Présentation d'une méthode

Indique la présence dans le texte de l'explication d'une méthode ou d'une notion.

Renvoi à la méthode

Réfère à la page où la méthode ou la notion mentionnée est expliquée.

Corrigé

Avertit qu'un corrigé est disponible en fin de chapitre.

Complément Web

Annonce des documents accessibles sur le site Internet de l'ouvrage.

TABLE DES MATIÈRES

PARTIE 1

S'ORGANISER

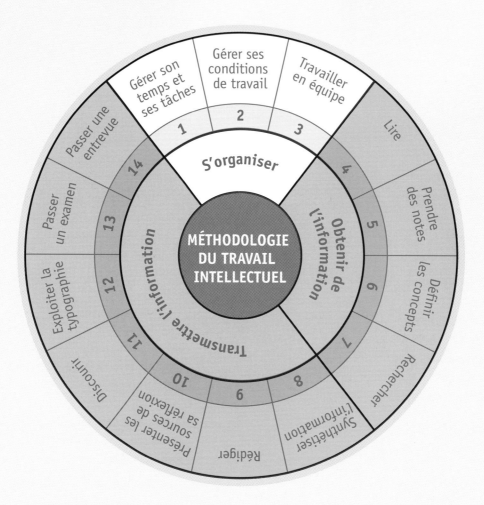

Wheel diagram — MÉTHODOLOGIE DU TRAVAIL INTELLECTUEL

Center: **MÉTHODOLOGIE DU TRAVAIL INTELLECTUEL**

Inner ring sections: S'organiser · Obtenir de l'information · Transmettre l'information

Outer ring items:
1. Gérer son temps et ses tâches
2. Gérer ses conditions de travail
3. Travailler en équipe
4. Lire
5. Prendre des notes
6. Définir les concepts
7. Rechercher
8. Synthétiser l'information
9. Rédiger
10. Présenter les sources de sa réflexion
11. Discourir
12. Exploiter la typographie
13. Passer un examen
14. Passer une entrevue

Cours, études, travail à temps partiel, carrière, vie familiale... La plupart des gens ont de nombreuses occupations qui débouchent sur une multitude de tâches à accomplir et d'échéances à satisfaire. De plus, comme étudiants et comme professionnels, nous avons souvent l'obligation de travailler en équipe. Cette vie trépidante apporte son lot de questions. Comment aménager son temps et gérer toutes ses tâches ? Comment se motiver, se concentrer et faire face au stress ? Comment travailler avec d'autres personnes ? Toutes ces interrogations appellent des réponses qui devront nous aider à contrôler le déroulement des événements et à ne pas nous sentir débordés et menés par eux.

Gérer son temps et ses tâches

- Remettez-vous systématiquement vos travaux au lendemain ?

- Avez-vous toujours de bonnes excuses pour ne pas amorcer un travail ou l'étude d'une matière ?

- Faites-vous d'abord ce que vous aimez et ensuite les tâches prioritaires ?

- Étudiez-vous pour un examen la veille ou dans l'heure précédant l'examen ?

- Commencez-vous vos travaux importants la journée avant la date de remise ?

- Avez-vous de la difficulté à concilier toutes vos activités : étude, travail, loisirs ?

- Ressentez-vous de l'épuisement ?

- Avez-vous l'impression de ne pas venir à bout de votre travail ?

L e manque d'organisation fait rapidement obstacle à la réussite scolaire. Tout devient une corvée et vous avez l'impression que vous ne parviendrez jamais à accomplir tout ce qui vous attend. Un cercle vicieux s'installe : vous ne savez pas par où commencer, vous retardez alors le début de vos travaux, vous disposez donc de moins de temps pour les faire, vous vous laissez aller au découragement et, finalement, vous reportez vos travaux à plus tard...

Avant de penser à améliorer vos méthodes de travail, il faut d'abord dresser le portrait de votre utilisation du temps, pour ensuite décider quelle portion de temps allouer à chacune de vos activités et gérer ainsi adéquatement le temps consacré à l'étude et à vos travaux.

DIAGNOSTIC

Une semaine compte 168 heures, pas une de plus, pas une de moins. Afin d'analyser la manière dont vous utilisez ce temps pendant une semaine type, procédez en trois étapes : estimez le nombre d'heures d'étude, dressez la liste de vos activités et compilez le total des heures pour chaque catégorie d'activité.

Estimer son temps d'étude

Estimez le nombre d'heures que vous consacrez chaque semaine à l'étude et à la réalisation de vos travaux. Notez ce chiffre. Vous pourrez le comparer avec le nombre réel par la suite.

Dresser le portrait d'une semaine type

Ensuite, faites un bilan de votre utilisation réelle de ces 168 heures. À l'aide d'un tableau, comptabilisez les heures passées à réaliser chacune de vos activités pendant une semaine. Chaque case du tableau représente une heure de la journée. Choisissez une semaine type où vous n'avez pas d'obligations qui sortent de l'ordinaire, comme participer à un tournoi sportif.

Dans chaque case, notez l'activité ou les activités qui ont occupé cette heure. Allez-y par tranches de 20 minutes, c'est un découpage suffisant pour vous donner une bonne idée de votre utilisation du temps. Arrondissez si nécessaire. Ainsi, il y aura trois entrées par case. Par exemple, vous avez travaillé 20 minutes en mathématiques et vous avez passé 40 minutes dans un transport en commun, inscrivez alors : Études, Transport, Transport. Si une tâche a mobilisé l'heure entière, inscrivez-la une seule fois. Utilisez des abréviations pour chacune des catégories.

Voici une liste générale, à laquelle vous pouvez ajouter de nouvelles catégories, ainsi qu'un court exemple sur la façon de remplir le tableau diagnostique :

- Cours C
- Étude É
- Travail rémunéré TR
- Transport T
- Télévision-ordinateur TO
- Sport S
- Loisirs L
- Soins corporels SC
- Détente D
- Nuit de sommeil N

Tableau diagnostique de mon emploi du temps							
Heures	Lundi	Mardi	Mercredi	Jeudi	Vendredi	Samedi	Dimanche
8	C	T	SC				
9	C	TO-TO-D	T-D-D				
10	C	D					

Une fois la semaine terminée, vous êtes en mesure de chiffrer le temps consacré à chaque activité en faisant leur somme à l'aide d'un second tableau.

Voici un exemple partiel de ce deuxième tableau. Notez la présence d'une colonne vide intitulée « Objectif » que vous compléterez par la suite.

Somme des activités		
Activité	Somme	Objectif
Cours		
Étude		
Travail rémunéré		
Transport		
Télévision-ordinateur		
Sport		
Loisirs		
Soins corporels		
Détente		
Nuit de sommeil		
Autres...		
Grand total (168)		

Assurez-vous que le total de votre semaine est bien de 168 heures. Utilisez le modèle disponible en fin de chapitre ou les fichiers mis à votre disposition sur le site Internet de l'ouvrage : www.editionscec.com/etudesefficaces.

Tableau diagnostique
Sommes des activités

Estimez votre temps hebdomadaire d'étude. Remplissez le tableau diagnostique d'une semaine. Faites la somme de vos différentes activités.

Analyser son emploi du temps

Vous pouvez maintenant analyser votre emploi du temps.

- Votre temps d'étude correspond-il à votre estimation de départ?
- Le temps total consacré à certaines activités vous étonne-t-il?
- À quels moments de la journée ou de la semaine vous sentez-vous le plus efficace?
- Quelles tâches vous semblent les plus ardues? Les plus faciles?

TEMPS ET TÂCHES

Après avoir posé votre diagnostic, vous êtes maintenant en mesure de prendre des décisions éclairées sur l'aménagement de votre horaire hebdomadaire. Dans cette démarche, il faut tenir compte de deux impératifs: connaître ses forces et ses limites, et être réaliste.

« Connais-toi toi-même »

Cet aphorisme, que l'on attribue à Socrate, est très pertinent en méthodologie du travail intellectuel, puisque bien connaître ses talents et ses besoins est la clé d'une organisation réussie. Suis-je un oiseau de nuit ou un lève-tôt? Quand suis-je le plus efficace dans le travail? Consacrez aux « bonnes » heures les tâches les plus exigeantes ou celles qui vous motivent le moins. Réservez les obligations faciles ou que vous aimez pour les périodes où vous avez moins d'énergie (comme la mise en page d'un document ou la recherche d'images sur le Web plutôt que la rédaction d'une dissertation philosophique ou la résolution de problèmes mathématiques ardus).

Soyez réaliste

N'établissez pas un horaire que vous n'arriverez pas à respecter. C'est très décourageant. Il est préférable de se motiver en atteignant ses objectifs et de hausser la barre graduellement!

Cette planification est d'abord et avant tout un outil et non un patron intransigeant. Il faut l'adapter à vos objectifs et à votre personnalité. De plus, elle doit rester souple afin de tenir compte des imprévus et des surcharges occasionnelles de travail.

Combien d'heures consacrer aux études ?

Tout d'abord, déterminez le nombre d'heures que vous allez consacrer à vos études. Peut-être devrez-vous reconsidérer le temps accordé à vos autres occupations afin d'atteindre le nombre d'heures souhaité. Il suffit souvent de peu pour améliorer grandement vos résultats. Quelques heures supplémentaires peuvent faire la différence. Coupez une heure de détente, évitez de perdre du temps inutilement, utilisez vos trajets d'autobus pour lire votre roman du cours de français ou réfléchir à la dissertation que vous avez à rédiger. Ayez toujours à portée de la main un petit calepin où vous noterez vos idées, sinon vous risquez de les oublier.

Le tableau « Somme des activités » où vous avez fait la somme de vos activités hebdomadaires peut vous aider à clarifier vos objectifs. Dans la colonne de droite, inscrivez les heures que vous désirez consacrer à chacune d'entre elles. Vous voulez ajouter trois heures à votre nombre d'heures d'étude ? Il faudra les couper ailleurs. À vous de décider.

Ayez toujours à portée de la main un petit calepin où vous noterez vos idées, sinon vous risquez de les oublier.

Construire un horaire pour gérer son temps

Il vous faudra ensuite construire un horaire de travail dans lequel vous caserez ces heures d'étude.

Gérer son temps

Il y a deux façons de procéder. La première façon, assez classique, consiste à déterminer des plages horaires dans votre semaine qui seront réservées à certaines matières. Par exemple, vous décidez que vous allez étudier les mathématiques le lundi de 14 h à 17 h, la philosophie le mercredi de 11 h à 13 h, et ainsi de suite.

Ce n'est pas la meilleure méthode. En effet, les charges de travail varient d'une semaine à l'autre. Par exemple, un examen important en économie requiert plus d'heures que dans votre planification initiale et, la semaine suivante, c'est la rédaction d'un poème qui vous accapare. Il y a une autre raison, de nature psychologique, qui rend cette technique peu efficace : il est difficile de se motiver pour accomplir deux ou trois heures de travail.

Pour ces raisons, la seconde méthode de gestion de votre temps est plus indiquée. Elle se divise en deux étapes : la conception d'un horaire maître et l'établissement d'une liste de tâches.

Horaire maître

Au lieu de déterminer à l'avance les heures allouées à chacune de vos matières, établissez des plages d'étude dans votre semaine dont le contenu restera indéterminé. Il est fort probable qu'en fin de semestre,

N'oubliez pas de prévoir des périodes de repos et de détente, elles sont aussi essentielles !

vous aurez à augmenter ce nombre d'heures. Cet horaire ne doit pas devenir un carcan ; conservez-lui une certaine souplesse. N'oubliez pas de prévoir des périodes de repos et de détente, elles sont aussi essentielles !

EXERCICE

Établissez le nombre d'heures hebdomadaires que vous allez consacrer à vos études ainsi qu'à vos autres activités. Concevez un horaire maître pour la session.

Liste de tâches

Liste de tâches

Découpez vos travaux et votre étude en petites tâches de 20 minutes. Si vous avez huit problèmes de mathématiques à résoudre, évaluez le temps requis pour faire chacun d'entre eux, puis rassemblez-les pour former des groupes de 20 minutes. Vous vous trompez dans l'évaluation ? Ce n'est pas dramatique ; vous allez vous améliorer avec la pratique.

Établissez une priorité dans l'accomplissement de ces tâches en tenant compte des dates de remise et effectuez toujours les plus urgentes en premier. Alternez les différentes disciplines afin d'éviter la monotonie.

Au début de chaque semaine, construisez une liste de tâches. Cette liste sera organisée par matières.

Voici un exemple de liste de tâches :

- *Philosophie*
  - *Pages 1 à 8 de l'**Apologie de Socrate***
  - *Questions 1 et 2 sur l'**Apologie***
  - *Pages 9 à 17 de l'**Apologie***
  - *Questions 3 à 6 sur l'**Apologie***

- *Mathématiques*
  - *Imaginer quatre problèmes semblables à ceux vus en classe*
  - *Lire le chapitre 3*
  - *Problèmes 1 à 3 du chapitre 3*
  - *Problèmes 4 à 7 du chapitre 3*

- *Comptabilité*
  - *État des résultats de la compagnie X*
  - *Étudier le chapitre 5*
  - *Liste des mots-clés du chapitre 5*
  - *Résumer le chapitre 5*

Construisez une liste type en début de semestre. Imprimez ensuite le nombre de feuilles correspondant à la durée de votre session.

Un tel découpage de vos tâches offre plusieurs avantages importants.

Liste de tâches

- Il est plus facile de se motiver à accomplir un travail de 20 minutes que de trois heures. Une courte tâche s'avère toujours moins pénible, vous vous découragerez donc moins vite. De plus, vous ressentirez la satisfaction du devoir accompli. Aussi, une fois terminée, cochez chaque tâche. Vous vous sentirez motivé en voyant que la liste des crochets s'allonge. Souvent, après la première tâche, vous vous attaquerez à une ou à plusieurs autres, alors que ce n'était pas votre intention de départ.

Il est plus facile de se motiver à accomplir un travail de 20 minutes que de trois heures.

Les autres avantages sont d'ordre pratique. Premièrement, vous saurez toujours exactement ce que vous devez exécuter. Deuxièmement, ces tâches se casent facilement dans un horaire de travail. Vous avez 30 minutes avant un cours ? C'est suffisant pour achever une tâche. Par contre, vous n'entamerez pas un travail de trois heures, vous allez le remettre à plus tard et vous perdrez ces 20 précieuses minutes. Troisièmement, vous saurez aussi que vous avez effectué le travail que vous aviez à faire pour la semaine.

EXERCICE

Dimanche prochain, préparez votre liste de tâches pour la semaine à venir.

Établir un échéancier des évaluations

Échéancier des évaluations

Une saine gestion de votre temps implique aussi de connaître les dates d'examen et de remise de vos principaux travaux. Lors de la première semaine de la session, alors que vous recevez vos plans de cours, transcrivez immédiatement ces dates dans votre agenda.

Ensuite, reportez toute cette information dans un tableau qui tiendra sur une seule page. Vous aurez ainsi sous les yeux l'échéancier des évaluations pour la session, ce qui vous évitera d'oublier un examen ou de remettre un travail.

EXERCICE

Transcrivez dans votre agenda toutes les évaluations à venir d'ici la fin de la session. Construisez ensuite un échéancier des évaluations.

S' organiser, c'est décider du temps à consacrer à ses études, c'est diviser ses tâches en petits segments de 20 minutes et c'est construire un échéancier des évaluations afin d'avoir une vue d'ensemble de la session. Vous éviterez ainsi les mauvaises surprises et les préparations bâclées.

Se connaître

Quand êtes-vous le plus efficace? Le matin? Le soir?

Être réaliste

Ne vous imposez pas des échéances et des objectifs irréalisables. Ne cherchez pas à atteindre la perfection, elle n'existe pas en ce monde. Visez l'efficacité!

Suivre son horaire

Ne laissez pas les circonstances ou les autres décider à votre place. Construisez un horaire maître, des listes de tâches et un échéancier des évaluations.

Se donner une marge de manœuvre

Vous avez un travail à remettre pour le mercredi? Planifiez votre remise pour le mardi. En cas de pépin, vous aurez alors 24 heures pour corriger la situation. Cela ne vous prendra pas plus de temps, mais vous éviterez les mauvaises surprises.

Marge de manœuvre

Tableau diagnostique de votre emploi du temps

Heures	Lundi	Mardi	Mercredi	Jeudi	Vendredi	Samedi	Dimanche
8							
9							
10							
11							
12							
13							
14							
15							
16							
17							
18							
19							
20							
21							
22							
23							
0							
1							
2							
3							
4							
5							
6							
7							

Chapitre 2

Gérer ses conditions de travail

SE MOTIVER

SE CONCENTRER

Aménager un bon environnement de travail

Adopter de bonnes attitudes psychologiques

SE RELAXER

Être attentif aux signes avant-coureurs du stress

Évaluer les sources de stress

Apprendre des techniques de relaxation

PENSE-BÊTE

- Avez-vous de la difficulté à faire face aux exigences scolaires, familiales ou sociales ?
- Avez-vous l'impression de devoir grimper l'Everest à chaque session ?
- Éprouvez-vous de la difficulté à vous mettre à la tâche ?
- Remettez-vous toujours la réalisation de vos travaux au lendemain ?
- Êtes-vous souvent « dans la lune » pendant vos cours ou lorsque vous étudiez ?
- Ressentez-vous souvent du stress ?

13

S'ORGANISER

Intéressez-vous à vos études, faites des projets, projetez-vous dans l'avenir.

I l est essentiel de bien contrôler nos conditions de travail, tant psychologiques, que physiques. La motivation, l'aptitude à se concentrer et à se relaxer contribuent largement à l'efficacité.

SE MOTIVER

La motivation est d'abord une affaire personnelle. Elle ne vient pas des autres. Intéressez-vous à vos études, faites des projets, projetez-vous dans l'avenir.

Travaillez pour vous, pour votre bonheur et non pour vos parents, vos amis ou vos professeurs. Il faut distinguer la motivation intrinsèque, pour soi, et la motivation extrinsèque, pour les autres. La première est nettement plus efficace que la seconde. On distingue aussi la motivation positive (réussir, obtenir une bonne note, écrire un excellent texte) et la motivation négative (ne pas échouer, ne pas se faire disputer par ses parents, ne pas être sans emploi). Là encore, la première donne de meilleurs résultats que la seconde. En effet, il est toujours plus efficace d'aller vers le positif que de chercher à éviter le négatif. C'est une question d'attitude.

Au-delà de ces considérations générales, il faut savoir que certains facteurs favorisent la motivation.

- Fixez-vous des objectifs à court et à moyen terme plutôt qu'à long terme. Il est plus facile de réaliser une bonne semaine d'étude plutôt que de penser à tout le travail qui nous attend au cours d'une session.

p. 8

Liste de tâches

- Prévoyez une récompense à la fin d'une période de travail : pour une petite période (exécuter cinq tâches dans la liste de tâches hebdomadaire), s'accorder une petite récompense (écouter votre émission de télévision préférée) ; pour une grande période de travail (terminer un travail de session), s'accorder une grande récompense (aller skier une journée avec des amis).

- Allez chercher de l'aide lorsque cela devient nécessaire (ami, collègue, parent, professeur, aide pédagogique individuelle, conseiller en orientation, etc.).

- Ne soyez pas trop perfectionniste en vous fixant des objectifs irréalistes.

- Réfléchissez à votre choix de programme, de carrière si vous doutez de ce dernier. Près du tiers des cégépiens change d'orientation au cours de leurs études[1]. Il ne faut surtout pas y voir un échec, mais plutôt

---

1. Donnée compilée par le Service régional d'admission du Montréal métropolitain (SRAM).

l'occasion de choisir une carrière qui vous intéresse vraiment et dans laquelle vous vous épanouirez et serez heureux.

■ Découvrez les raisons qui expliquent qu'une tâche vous rebute particulièrement. En connaissant ces causes, vous pourrez y remédier.

SE CONCENTRER

Il est difficile de se concentrer sur la lecture d'un texte abstrait (mathématiques, physique, philosophie, poésie, etc.). Cela dit, la capacité à se concentrer s'accroît dans un environnement de travail adéquat et avec de bonnes attitudes psychologiques.

Aménager un bon environnement de travail

Un bon environnement de travail favorise la concentration en réduisant les stimuli externes et internes nuisibles.

■ Travaillez dans un endroit calme. Débranchez le téléphone, éteignez l'ordinateur et la télévision. Autant que faire se peut, éliminez toute autre source de distraction.

Travaillez dans un endroit calme.

■ Faites du ménage dans votre lieu de travail. Classez tout ce qui encombre votre table ou votre bureau. Dégagez l'espace après chaque séance de travail. Achetez un classeur si nécessaire.

■ Procurez-vous une chaise confortable, une table ou un bureau d'une bonne dimension.

■ Vérifiez votre position de travail à l'ordinateur. Un mauvais positionnement peut entraîner des problèmes musculaires douloureux et incapacitants comme des maux de dos, des tendinites aux poignets ou encore des migraines et de la fatigue. Voici quelques conseils :
  - Installez votre écran d'ordinateur perpendiculairement à la fenêtre, il sera plus facile à lire, et vous vous fatiguerez moins rapidement.
  - Assurez-vous d'avoir une tablette à la bonne hauteur pour le clavier et la souris (la plupart des postes de travail comprennent maintenant une tablette rétractable pour le clavier).
  - Assurez-vous que vos yeux sont à mi-hauteur de l'écran et à une distance de 50 à 75 cm (19 à 30 pouces).
  - Regardez au loin et clignez régulièrement des yeux afin d'éviter la fatigue oculaire.
  - Maintenez votre dos collé au dossier de votre chaise.
  - Gardez vos pieds à plat sur le sol.

- Éclairez bien votre lieu de travail.

- Ayez de bons crayons et des dictionnaires (des noms communs, des difficultés, des noms propres, des conjugaisons, etc.) à portée de main.

- Accrochez un tableau de liège près de votre table de travail. Affichez-y votre échéancier des évaluations. Épinglez votre liste de tâches de la semaine.

- Prenez des pauses régulières, marchez un peu, faites des exercices légers d'étirement et d'assouplissement. S'il le faut, programmez un compte à rebours afin qu'il sonne toutes les 30 minutes pour vous rappeler de vous lever et de bouger.

p. 8 et 10

Liste de tâches
Échéancier des évaluations

Adopter de bonnes attitudes psychologiques

Développez de bonnes attitudes psychologiques afin d'être efficace dans votre travail.

- Soyez frais et dispos pour assister à un cours ou pour étudier, surtout lorsqu'il s'agit d'une matière difficile ou qui vous rebute.

- Attribuez les plages horaires où vous êtes le plus productif aux travaux plus difficiles. Réservez les tâches légères pour les moments où vous êtes fatigué (mise en page d'un document, recherche d'images ou de vidéo, montage d'une présentation réalisée à l'ordinateur, etc.).

- Variez vos activités. Le fait de découper vos tâches en petits blocs de 20 minutes facilite ainsi le changement.

- Si un problème personnel vous préoccupe et vous distrait de votre travail, écrivez-le sur une feuille en vous enjoignant de n'y revenir qu'une fois l'activité terminée.

Technique des petites boîtes

- Vous êtes souvent déconcentré pendant une période d'étude? Utilisez la technique des petites boîtes. Tracez un trait sur une feuille chaque fois que vous êtes distrait. Cinq distractions forment une boîte à quatre côtés traversée par une diagonale. À la fin de votre séance de travail, comptez le nombre de lignes. Inscrivez ce total quelque part. Recommencez les boîtes lors de votre prochaine période d'étude. Vous constaterez que le nombre de périodes de distraction diminue lorsqu'on en prend conscience. Vous pouvez aussi utiliser cette technique pendant les périodes de cours.

SE RELAXER

Votre manque de concentration est peut-être causé en partie par le stress. Mais d'où vient-il? Le stress est un état de tension nerveuse provoqué par une cause extérieure. *A priori*, le stress est perçu comme négatif. Il peut inhiber votre travail et même causer de l'hypertension ou des ulcères d'estomac. Cela dit, il peut aussi se révéler positif. En effet, historiquement, il a permis à l'espèce humaine d'échapper à ses prédateurs naturels. De toute façon, vous aurez certainement à composer avec le stress dans votre vie étudiante et professionnelle. Apprenez à y faire face et à le contrôler.

De façon générale, il faut:

1. Reconnaître les signes annonciateurs.
2. Déterminer les causes afin de pouvoir prendre les mesures qui s'imposent.
3. Connaître les techniques pour l'atténuer.

Être attentif aux signes avant-coureurs du stress

Les signes précurseurs sont multiples et tant de nature physique que psychologique. Il faut apprendre à les reconnaître quand ils se manifestent. Il est naturel de ressentir parfois certains d'entre eux, mais lorsqu'ils persistent cela devient un signal d'alerte.

Physiques:

- Vos muscles sont tendus (visage, dos, épaules).
- Vous êtes crispé, vous sursautez régulièrement.
- Vous êtes fébrile, vous éprouvez de la difficulté à rester calme.
- Vous souffrez de maux de tête, sans cause apparente.
- Vous tardez à vous endormir et vous souffrez de périodes d'insomnie.
- Vous avez les yeux cernés, une boule dans la gorge ou dans l'estomac.

Psychologiques:

- Vous paniquez facilement et vous vous inquiétez inutilement.
- Votre humeur change continuellement.
- Vous êtes impatient.
- Tout vous apparaît gros comme une montagne, vous avez toujours l'impression d'être débordé, de ne jamais avoir de temps pour des loisirs.
- Vous êtes souvent préoccupé.
- Vous avez perdu le sens de l'humour.
- Vous n'êtes plus motivé, plus rien ne vous intéresse.

Évaluer les sources de stress

Réfléchissez aux sources possibles de stress. Une fois que vous les aurez reconnues, vous les contrôlerez plus facilement et vous pourrez réduire votre stress.

* Un nombre insuffisant d'heures d'étude.

* Une mauvaise gestion de votre temps et de vos tâches.

* Des méthodes de travail inefficaces.

* Une absence de motivation résultant d'un choix de programme et de carrière que vous n'osez pas remettre en question.

* Des problèmes familiaux ou de couple.

* Une séparation.

* Un changement d'établissement scolaire ayant pour conséquence la perte d'un réseau d'amis.

Certaines de ces causes sont provisoires, par exemple le fait d'entrer au cégep. D'autres sont plus profondes, comme un choix de carrière inapproprié. Les premières vont s'atténuer avec le temps, tandis que les secondes exigent votre intervention.

Prenez les mesures qui s'imposent selon le type de cause. Si cela est nécessaire, faites appel à des personnes-ressources (une aide pédagogique individuelle, un orienteur ou un psychologue).

Apprendre des techniques de relaxation

Techniques de relaxation

Afin d'atténuer votre stress, nous vous proposons ci-après trois techniques de relaxation qui font appel au corps, à l'esprit et à la respiration. N'attendez pas d'être trop stressé avant d'y avoir recours. Mettez-les régulièrement en pratique : en fin de journée, avant de vous coucher et en période de fin de session.

Détendre son corps

Couchez-vous sur le dos, jambes allongées et décroisées, sans oreiller. Assurez-vous que le calme règne dans la pièce et que l'éclairage est tamisé. Vous pouvez mettre une musique douce.

Il s'agit de travailler les muscles de votre corps en suivant une séquence qui commence par les extrémités et se termine par le tronc. Contractez chaque groupe de muscles 5 secondes et relâchez-les 20 secondes. Répétez, puis passez à l'autre groupe de muscles.

Voici l'enchaînement à suivre :

- Mains et bras, pieds et orteils, cuisses et mollets, front, yeux et nez, mâchoires et joues, poitrine et dos, ventre.

Une fois le travail de relaxation terminé, restez couché quelques minutes. Inspirez lentement par le nez, puis expirez doucement par la bouche.

Apaiser son esprit

Choisissez un lieu tranquille. Tamisez la lumière, éliminez les sources de bruits ambiants. Étendez-vous confortablement. Souvenez-vous d'un endroit et de circonstances où vous étiez détendu. Sollicitez votre mémoire sensorielle.

Par exemple : une chaise sur le bord d'un lac paisible, un ciel bleu, une température clémente. Faites le tour de vos sens, rappelez-vous la sensation du vent sur votre corps, les odeurs qui titillent vos narines, le bruissement des feuilles, le clapotis de l'eau, la chaleur sur votre peau. Vous vous détendrez en quelques minutes. Ce n'est qu'un exemple parmi d'autres, à vous de retrouver le souvenir d'une situation où vous étiez particulièrement détendu.

Cet exercice est difficile à faire au début, surtout si vous êtes stressé. Par contre, avec le temps, vous retournerez facilement dans ce petit monde tranquille et vous en ressentirez rapidement les bienfaits.

Contrôler sa respiration

Comme ces deux premières techniques ne peuvent se pratiquer pendant un examen, vous pouvez recourir à une approche plus discrète qui consiste à contrôler sa respiration.

Cessez tout travail. Asseyez-vous confortablement, fermez les yeux, inspirez lentement et profondément par le nez en comptant cinq secondes. Gardez votre respiration trois secondes. Expirez lentement par la bouche pendant cinq secondes. Attendez trois secondes et répétez le cycle inspiration/respiration cinq fois. Décontractez les muscles des épaules et du visage pendant l'exercice. Ne bloquez pas votre respiration en appuyant les bras ou les mains sur votre poitrine ou sur votre estomac.

Certains individus ne s'arrêtent jamais. Or, s'il est crucial de consacrer beaucoup d'énergie à ses études, il est tout aussi essentiel de s'accorder du temps pour le repos, les loisirs et une activité physique régulière. Allez au cinéma, skiez, jouez au badminton, bavardez avec des amis, écoutez de la musique ou ne faites rien. Il faut aussi se relaxer et recharger ses batteries. Tout est une question de mesure !

Il faut aussi se relaxer et recharger ses batteries.

Penser d'abord à soi !
Faites vos études pour vous, pour votre avenir, et non pas pour les autres.

Aménager un environnement adéquat
Un environnement calme et sans bruit, un fauteuil ou une chaise confortable, une bonne lumière prédisposent à l'efficacité.

Se concentrer
Vous avez de la difficulté à vous concentrer ? Comptabilisez vos distractions avec la technique des petites boîtes.

Être efficace
N'interrompez pas une séance productive en répondant au téléphone ou en allant surfer quelques minutes sur Internet.

Se faire plaisir
Vous venez d'abattre beaucoup de travail ? Accordez-vous une courte pause, faites une activité que vous aimez. Ce n'est pas du temps perdu, au contraire ! Vous serez plus apte au travail après vous être aéré l'esprit.

Se relaxer
Faites régulièrement des exercices de relaxation.

Recharger ses batteries
N'oubliez pas que la pratique d'une activité physique et des loisirs agréables sont tout aussi essentiels que d'intenses périodes de travail.

Travailler en équipe

- Le travail d'équipe vous rebute-t-il ?

- Perdez-vous beaucoup de temps lorsque vous travaillez en équipe ?

- Les rencontres sont-elles interminables et inefficaces ?

- Est-ce que distribuer les tâches et attribuer les rôles vous semble compliqué ?

- Savez-vous comment réagir face à des coéquipiers paresseux ?

Le travail d'équipe est une réalité de la vie étudiante et de la vie professionnelle. Or, ce type d'activité déplaît à beaucoup de gens. En effet, les personnalités, les façons de faire, la volonté et l'énergie varient d'une personne à l'autre, ce qui peut devenir une source de conflits et nuire au travail. De plus, trop souvent, nous oublions qu'il s'agit de mettre en commun des habiletés plutôt que d'additionner des solitudes. De bonnes méthodes de travail s'imposent afin de constituer l'équipe, de bien fonctionner pendant les réunions, de diviser les tâches à accomplir et de résoudre les problèmes qui peuvent survenir.

CONSTITUER L'ÉQUIPE

Avant toute chose, il faut former l'équipe. Voici quelques règles à suivre si vous avez le loisir de choisir vos coéquipiers.

- Amis ou inconnus ? Question délicate, et la réponse dépend de votre personnalité et de celles de vos camarades. Spontanément, nous avons tendance à privilégier nos amis lorsque vient le temps de former une équipe. Cependant, si vous pensez que ces amitiés pourraient être une source de relâchement dans l'accomplissement de vos tâches respectives, sachez qu'il est parfois plus efficace de travailler avec des collègues que vous connaissez moins ou pas du tout.

- Optez pour des personnes sympathiques, avec qui vous avez des atomes crochus. Dépassez votre première impression : les personnes discrètes peuvent se révéler pleines de ressources et d'énergie. On gagne à les connaître et à travailler avec elles.

- Essayez d'évaluer la capacité de travail des personnes avec qui vous pouvez vous associer.

- Recherchez des gens fiables.

- Assemblez une équipe où les forces et les compétences se compléteront.

Assemblez une équipe où les forces et les compétences se compléteront.

TENIR LES RÉUNIONS

Les réunions sont des moments privilégiés où les membres de l'équipe échangent et mettent en commun leurs idées. Leur succès dépend en grande partie du climat dans lequel elles se déroulent. Dans cet esprit, la première rencontre a la portée la plus large : il faut lui accorder une attention particulière. Les réunions suivantes sont consacrées aux tâches liées à l'élaboration du travail et nécessitent également une préparation appropriée.

Établir un bon climat de travail

Il est primordial de construire une bonne atmosphère de travail. Demandez-vous quelle peut être votre contribution. Voici quelques pistes pour guider votre réflexion :

- Respectez les autres.
- Soyez ponctuel; les retards irritent les gens.
- Évitez d'interrompre la personne qui a la parole. Ne faites pas d'aparté.
- Soyez actif, participez.
- Surtout, acquittez-vous des tâches qui vous ont été confiées dans les délais prescrits.

Réussir la première rencontre

Dans un premier temps, échangez vos coordonnées (numéro de téléphone, courriel) avec vos coéquipiers pour vous joindre facilement.

Dans un second temps, comparez vos emplois du temps et déterminez des périodes libres communes. Ce premier survol vous permettra par la suite de planifier les rencontres. Il se pourrait aussi que vous constatiez qu'il vous est impossible de vous rencontrer à cause des conflits d'horaire. Vous pourrez alors entreprendre les démarches afin de modifier votre équipe.

Dans un troisième temps, faites un tour de table où chaque membre décrira ses méthodes de travail et ses habiletés. Cela vous permettra de mieux vous connaître et d'être en mesure de cibler l'apport de chaque personne au travail commun.

Collégialité ou autorité ?

Il n'y pas de réponse unique à cette question, les deux modes de fonctionnement offrent des avantages et des désavantages. Le choix reposera sur les personnalités des membres de l'équipe, sur la nature du travail et le contexte dans lequel il s'effectue (école, entreprise, etc.).

La collégialité possède des atouts certains : comme il n'y a pas de chef, les décisions résultent d'un consensus. C'est un facteur motivant pour les membres de l'équipe. Par contre, cette formule peut occasionner des pertes de temps en raison de discussions trop longues et déboucher sur la désorganisation et l'inefficacité.

Avec un chef, les décisions sont claires. Il y a moins de délibérations, ce qui se solde par un gain de temps. Cela dit, cette façon de procéder peut mener à des conflits et à des tensions et entraîner une paralysie de l'équipe.

Choisir le sujet

Lorsque vous avez la possibilité de sélectionner votre sujet, faites d'abord un tour de table afin de déterminer les connaissances, les travaux déjà réalisés, les cours suivis, les forces et les faiblesses ainsi que les goûts et les préférences de chaque personne. Il sera ensuite plus aisé d'arrêter un choix qui correspondra mieux aux aptitudes de l'équipe. Faites aussi ce travail même si le sujet est imposé.

L'unanimité peut se faire rapidement ou un vote peut se révéler incontournable. Par contre, afin de dissiper les doutes et les hésitations, il est préférable de continuer à débattre jusqu'à ce que tous endossent le choix du sujet.

Déterminer les rôles

Si le besoin s'en fait sentir, certaines tâches peuvent être confiées à des responsables. Vous y gagnerez en efficacité.

- Coordonnateur : la personne est responsable des communications avec le professeur et entre les membres du groupe. Elle se charge de réserver un local pour les rencontres. Elle avise les membres de l'équipe d'un changement de dernière minute quant au lieu ou à l'heure de la réunion.

- Président d'assemblée : la personne veille au bon déroulement des séances de travail en s'assurant que les points prévus sont traités. Elle donne le droit de parole.

- Secrétaire : la personne prend des notes (idées, arguments, trouvailles, etc.) afin d'éviter de perdre de l'information. Ce rôle s'impose lorsque le travail acquiert une certaine envergure.

- Archiviste : la personne conserve les différents documents de l'équipe (notes, vidéos, fichiers informatiques, etc.).

Attribuer les tâches

Établissez dès la première rencontre les tâches respectives, même simples, de chacun des membres du groupe pour la prochaine séance. Cette première distribution pourra toujours être revue par la suite. Le travail démarrera alors plus rapidement.

Établir un échéancier préliminaire

Établissez un calendrier de rencontres régulières. Il est plus facile d'annuler une réunion que d'en programmer une à la dernière minute.

Planifiez une rencontre avec le professeur le plus vite possible.

Prévoyez toujours une marge de manœuvre pour la remise du travail ou pour l'exposé.

Bien sûr, toutes les décisions prises lors de cette première réunion pourront être modifiées avec l'assentiment des membres du groupe.

Marge de manœuvre

Réussir les rencontres suivantes

Il n'existe pas de modèle parfait pour tenir les réunions d'équipe. Tout dépend de la tâche à accomplir et des membres de l'équipe (expérience, personnalité, connaissances). Cela dit, abstenez-vous de vous réunir inutilement. Fixez toujours au moins un objectif clair pour chaque rencontre. Vous éviterez ainsi les longues séances qui ne débouchent sur rien. Voici une liste de points qui peuvent être traités durant les réunions.

Fixez au moins un objectif clair pour chaque rencontre

* Distribution de tâches et de rôles.

* Comptes rendus de recherches en bibliothèque et dans Internet.

* Rapports de lecture, de journaux, d'articles de revue, de livres, de documents dans Internet.

* Synthèses (tableaux d'information, schémas, graphiques).

Tableau d'information
Schéma
Graphique

- Rédaction de textes. Il est rarement efficace d'écrire en groupe. Répartissez plutôt les parties à rédiger entre les membres de l'équipe et réservez des séances de travail pour un retour sur les textes que vous aurez lus avant afin de commenter le travail de vos coéquipiers.

- Préparation de documents audiovisuels pour l'oral.

- Répétition de l'exposé.

Si vous éprouvez des difficultés dans l'accomplissement de l'ouvrage qui vous a été confié, faites-en part aux autres. C'est un travail d'équipe, et ils pourront venir à votre aide ou redistribuer une partie de la tâche si elle s'avère trop lourde.

Terminez la réunion en planifiant la prochaine rencontre (date, lieu, points à traiter).

DÉTERMINER LES TÂCHES

En milieu scolaire, vous aurez fréquemment à réaliser deux principales tâches en équipe dont il sera question ici : écrire des documents et faire des exposés oraux.

Produire les documents

La plupart du temps, la rédaction du document est assurée par différents membres de l'équipe. Assurez-vous alors que chacun respecte les principes énoncés dans les chapitres « Rédiger », « Discourir » et « Exploiter la typographie ». De plus, déterminez des normes communes de mise en page : polices, taille, interligne.

p. 152 et 156

Police
Taille
Interlignage

Nommez une personne qui sera maître d'œuvre de la mise en page afin d'éviter de remettre un document hétérogène et étriqué. Le responsable peut produire un fichier type dans lequel les paramètres sont établis et le distribuer à tous ceux qui rédigeront des textes.

p. 11

Marge de manœuvre

Désignez une personne qui révisera la version définitive (orthographe, accords, syntaxe et mise en page). Évitez d'agrafer les différentes parties à la dernière minute. Encore une fois, donnez-vous une marge de manœuvre afin de pouvoir apporter des correctifs.

Planifier les exposés oraux

S'il s'agit d'un travail d'équipe visant la préparation d'un exposé oral, désignez d'abord les orateurs. Il se peut que le professeur exige que tous les membres de l'équipe parlent devant la classe, auquel cas la question ne se posera pas.

Assurez-vous que tous les orateurs connaissent les règles de base de l'exposé. S'il le faut, relisez en équipe le chapitre « Discourir ».

Déterminez les responsabilités de chacun pendant l'exposé :

- Qui présente telle partie ?
- Qui s'occupe du matériel ?

Planifiez au moins une répétition avec le matériel devant accompagner la présentation orale.

RÉSOUDRE LES PROBLÈMES

Que faire quand il y a un problème qui mine le travail d'équipe ? Il existe deux problèmes fréquents : un camarade qui ne travaille pas assez et des réunions qui n'en finissent plus.

Que faire quand il y a un problème qui mine le travail d'équipe ?

Composer avec des coéquipiers paresseux

Nous avons tous à y faire face un jour ou l'autre dans notre vie : nous retrouver en équipe avec une personne qui ne s'acquitte pas de ses tâches. La plupart des gens se sentent démunis devant ce problème difficile. Lorsque cela se produit, deux choix s'offrent à vous :

1. Vous ne prenez pas de mesures à l'égard de la personne fautive.
   - Une partie du travail n'est pas réalisée et la note attribuée s'en ressent.
   - Vous faites sa tâche, mais vous payez le prix en voyant vos heures de travail augmenter.

2. Vous intervenez. Il y a trois cas de figure.
   - Des événements hors de l'ordinaire et ponctuels justifient l'absence de travail. Vous demandez alors des clarifications. La personne s'explique et s'excuse, et tout rentre dans l'ordre par la suite.
   - La tâche confiée à la personne était trop lourde. Vous la réduisez en en redistribuant une partie à d'autres membres du groupe.
   - C'est un cas de mauvaise volonté ou de paresse. Vous intervenez rapidement en attribuant à la personne des tâches courtes et des échéances rapprochées. Vous vérifiez dans de brefs délais qu'elle s'acquitte correctement de ses tâches. S'il y a récidive, vous lancez un ultimatum : expulsion si les prochaines tâches ne sont pas

effectuées dans les délais. Si malheureusement la personne ne tient pas compte de l'avertissement, vous l'excluez définitivement de l'équipe. Dans ce cas, n'oubliez pas d'aviser le professeur de votre décision et des raisons qui l'ont motivée (travail non fait, ultimatum).

Éviter les réunions inefficaces

Parfois, un autre type de difficulté se présente dans les travaux d'équipe : les réunions deviennent interminables et inefficaces. Il existe deux façons simples de résoudre cette embûche :

- Établissez toujours des objectifs précis pour chaque réunion.
- Nommez une personne qui présidera l'assemblée. Si c'est déjà fait, définissez son rôle en équipe et rappelez à chacun son obligation de respecter ses décisions. Vous pouvez aussi décider de changer de président.

Le travail d'équipe repose sur une série de décisions et d'habiletés, que ce soit dans la constitution de l'équipe, dans le déroulement des réunions, dans l'attribution des tâches ou encore dans la résolution des problèmes qui peuvent se présenter. C'est en connaissant ces décisions et ces habiletés, les défis qu'elles représentent et les moyens d'y faire face que vous réussirez vos travaux d'équipe.

Démarrer rapidement

Tenez la première rencontre dès que possible, sinon les gens risquent de se démotiver.

Apprendre à se connaître

Déterminez vos forces, vos faiblesses ainsi que celles des autres membres de l'équipe.

Créer un bon climat de travail

Contribuez à établir un bon climat par des attitudes et des comportements appropriés.

Tenir des réunions productives

Arrêtez toujours les points devant être couverts afin de tenir des réunions efficaces et productives.

Définir tâches, rôles et délais

Assurez-vous que les tâches, les rôles et les délais sont précis et connus de tous.

Éviter la précipitation

Évitez d'agrafer vos parties respectives 10 minutes avant la remise du travail de groupe.

Contrer les paresseux

Identifiez rapidement les paresseux et ne tardez pas à prendre les mesures qui s'imposent.

PARTIE 2

OBTENIR DE L'INFORMATION

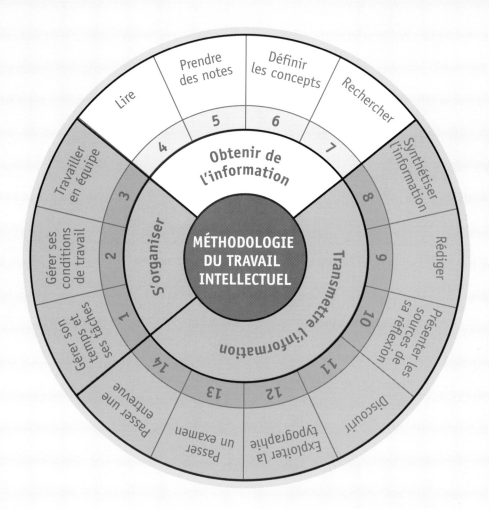

Une bonne partie du travail étudiant, puis professionnel, consiste à obtenir de l'information. Les sources tout autant que les méthodes pour s'acquitter de cette obligation sont multiples. Il est donc tout à votre avantage de les maîtriser. Cela vous permettra de repérer plus rapidement les bons renseignements, de mieux les comprendre et de mieux les retenir. Enfin, cela favorisera tout autant l'analyse de l'information que sa synthèse ultérieure.

Lire

- Ne voyez-vous jamais la fin d'un livre?

- Vos lectures vous semblent-elles interminables?

- Perdez-vous le fil? Arrivez-vous à suivre l'enchaînement des idées?

- Lisez-vous toujours le texte en entier, alors que certaines parties se révèlent par la suite inutiles pour votre travail?

- Vous noyez-vous dans les détails?

- Vous est-il difficile de distinguer les idées principales des idées secondaires?

A
u cours de vos études et plus tard dans votre vie professionnelle, vous devrez probablement lire beaucoup de documents, parfois non pertinents ou mal rédigés. Vous avez donc intérêt à être efficace afin d'aller chercher l'information rapidement.

Cette tâche suppose deux types d'habiletés très différentes :

- Vitesse de lecture
- Méthode de lecture

Ne tentez pas de développer simultanément ces deux compétences, vous pourriez vous décourager inutilement. Choisissez-en une et attendez de bien la maîtriser avant de passer à l'autre en gardant à l'esprit que votre progression sera graduelle.

VITESSE DE LECTURE

Chaque individu lit à une certaine allure. Évidemment, un rythme trop lent représente un handicap autant dans le travail scolaire que dans la vie professionnelle. Connaissez-vous votre vitesse de lecture et les mécanismes mis en jeu lorsque vous lisez ? Une fois au fait des réponses à ces questions, vous pourrez corriger vos défauts, s'il y a lieu, et vous entraîner afin de vous améliorer.

À quelle vitesse lisez-vous ?

Dans un premier temps, il est important de connaître votre vitesse de lecture. Pour ce faire, un extrait de *Germinal* de Zola vous est proposé. Il comporte 1000 mots. Munissez-vous d'un chronomètre ou d'une montre indiquant les secondes. Lisez le texte à votre rythme habituel, il ne s'agit pas d'un concours de vitesse, mais d'un diagnostic visant à mieux vous connaître. Notez votre temps à la fin de votre lecture. Lorsque vous aurez terminé, vous serez invité à passer un test objectif afin de vérifier votre mémorisation de l'information.

Test de vitesse de lecture

Germinal
ÉMILE ZOLA

« Dans la plaine rase, sous la nuit sans étoiles, d'une obscurité et d'une épaisseur d'encre, un homme suivait seul la grande route de Marchiennes à Montsou, dix kilomètres de pavé coupant tout droit, à travers les champs de betteraves. Devant lui, il ne voyait même pas le sol noir, et il n'avait la sensation de l'immense horizon plat que par les souffles du vent de mars, des rafales larges comme sur une mer, glacées d'avoir balayé des lieues de marais et de terres nues. Aucune ombre d'arbre ne tachait le ciel, le pavé se déroulait avec la rectitude d'une jetée, au milieu de l'embrun aveuglant des ténèbres.

L'homme était parti de Marchiennes vers deux heures. Il marchait d'un pas allongé, grelottant sous le coton aminci de sa veste et de son pantalon de velours. Un petit paquet, noué dans un mouchoir à carreaux, le gênait beaucoup ; et il le serrait contre ses flancs, tantôt d'un coude, tantôt de l'autre, pour glisser au fond de ses poches les deux mains à la fois, des mains gourdes que les lanières du vent d'est faisaient saigner. Une seule idée occupait sa tête vide d'ouvrier sans travail et sans gîte, l'espoir que le froid serait moins vif après le lever du jour. Depuis une heure, il avançait ainsi, lorsque sur la gauche, à deux kilomètres de Montsou, il aperçut des feux rouges, trois brasiers brûlant au plein air (…). D'abord, il hésita, pris de crainte ; puis, il ne put résister au besoin douloureux de se chauffer un instant les mains.

Un chemin creux s'enfonçait. Tout disparut. L'homme avait à droite une palissade, quelque mur de grosses planches fermant une voie ferrée ; tandis qu'un talus d'herbe s'élevait à gauche, surmonté de pignons confus, d'une vision de village aux toitures basses et uniformes.

Il fit environ deux cents pas. Brusquement, à un coude du chemin, les feux reparurent près de lui, sans qu'il comprît davantage comment ils brûlaient si haut dans le ciel mort, pareils à des lunes fumeuses. Mais, au ras du sol, un autre spectacle venait de l'arrêter. C'était une masse lourde, un tas écrasé de constructions, d'où se dressait la silhouette d'une cheminée d'usine ; de rares lueurs sortaient des fenêtres encrassées, cinq ou six lanternes tristes étaient pendues dehors, à des charpentes dont les bois noircis alignaient vaguement des profils de tréteaux gigantesques ; et, de cette apparition fantastique, noyée de nuit et de fumée, une seule voix montait, la respiration grosse et longue d'un échappement de vapeur (…).

Alors, l'homme reconnut une fosse. Il fut repris de honte : à quoi bon ? il n'y aurait pas de travail. Au lieu de se diriger vers les bâtiments, il se risqua enfin à gravir le terri sur lequel brûlaient les trois feux de houille, dans des corbeilles de fonte, pour éclairer et réchauffer la besogne. Les ouvriers de la coupe à terre avaient dû travailler tard, on sortait encore les débris inutiles. Maintenant, il entendait les moulineurs pousser les trains sur les tréteaux, il distinguait des ombres vivantes culbutant les berlines, près de chaque feu.

– Bonjour, dit-il en s'approchant d'une des corbeilles.

Le dos au brasier, le charretier était debout, un vieillard vêtu d'un tricot de laine violette, coiffé d'une casquette en poil de lapin ; pendant que son cheval, un gros cheval jaune, attendait, dans une immobilité de pierre, qu'on eût vidé les six berlines montées par lui. Le manœuvre employé au culbuteur, un gaillard roux et efflanqué, ne se pressait guère, pesait sur le levier d'une main endormie. Et, là-haut, le vent redoublait, une bise glaciale, dont les grandes haleines régulières passaient comme des coups de faux.

– Bonjour, répondit le vieux.

Un silence se fit. L'homme, qui se sentait regardé d'un œil méfiant, dit son nom tout de suite.

– Je me nomme Étienne Lantier, je suis machineur... Il n'y a pas de travail ici ?

Les flammes l'éclairaient, il devait avoir vingt et un ans, très brun, joli homme, l'air fort malgré ses membres menus.

Rassuré, le charretier hochait la tête.

– Du travail pour un machineur, non, non... Il s'en est encore présenté deux hier. Il n'y a rien.

Une rafale leur coupa la parole. Puis, Étienne demanda, en montrant le tas sombre des constructions, au pied du terri :

– C'est une fosse, n'est-ce pas ?

Le vieux, cette fois, ne put répondre. Un violent accès de toux l'étranglait. Enfin, il cracha, et son crachat, sur le sol empourpré, laissa une tache noire.

– Oui, une fosse, le Voreux... Tenez ! le coron est tout près.

À son tour, de son bras tendu, il désignait dans la nuit le village dont le jeune homme avait deviné les toitures. Mais les six berlines étaient vides, il les suivit sans un claquement de fouet, les jambes raidies par des rhumatismes ; tandis que le gros cheval jaune repartait tout seul, tirait pesamment entre les rails, sous une nouvelle bourrasque, qui lui hérissait le poil.

Le Voreux, à présent, sortait du rêve. Étienne, qui s'oubliait devant le brasier à chauffer ses pauvres mains saignantes, regardait, retrouvait chaque partie de la fosse, le hangar goudronné du criblage, le beffroi du puits, la vaste chambre de la machine d'extraction, la tourelle carrée de la pompe d'épuisement. Cette fosse (…) lui semblait avoir un air mauvais de bête goulue, accroupie là pour manger le monde. Tout en l'examinant, il songeait à lui, à son existence de vagabond, depuis huit jours qu'il cherchait une place ; il se revoyait dans son atelier du chemin de fer, giflant son chef, chassé de Lille, chassé de partout ; le samedi, il était arrivé à Marchiennes, où l'on disait qu'il y avait du travail, aux Forges ; et rien, ni aux Forges, ni chez Sonneville, il avait dû passer le dimanche caché sous les bois d'un chantier de charronnage, dont le surveillant venait de l'expulser, à deux heures de la nuit. (…) Il s'expliquait jusqu'à l'échappement de la pompe, cette respiration grosse et longue, soufflant sans relâche, qui était comme l'haleine engorgée du monstre. »

Extrait de Émile Zola (1885). *Germinal.*

Notez votre temps et faites le test de mémorisation suivant.

1 Combien de kilomètres séparent les deux villages ?
a) 5 kilomètres
b) 10 kilomètres
c) 15 kilomètres
d) 20 kilomètres

2 Pourquoi l'homme s'approche-t-il des trois brasiers ?
a) Pour demander son chemin
b) Pour parler avec les gens
c) Pour se réchauffer
d) Pour demander à manger

3 Quel son s'échappe de la construction lorsqu'il l'aperçoit pour la première fois ?
a) Le cri d'un enfant
b) Le jappement d'un chien
c) Le cliquetis d'une machine
d) Le bruit d'un échappement de vapeur

4 Qu'est-ce qui brûle dans les trois feux extérieurs ?
a) Du bois
b) De la houille
c) Du gaz
d) Des vêtements

5 Quelle est la couleur du cheval?
  a) Brun
  b) Noir
  c) Noir et brun
  d) Jaune

6 Quel est le prénom du personnage principal?
  a) Étienne
  b) Jacques
  c) Pierre
  d) André

7 Quel est le métier de Lantier?
  a) Conducteur
  b) Machineur
  c) Briqueleur
  d) Jardinier

8 Quel âge a-t-il?
  a) 15 ans
  b) 18 ans
  c) 21 ans
  d) 24 ans

9 Depuis combien de jours cherche-t-il une place?
  a) 8 jours
  b) 12 jours
  c) 15 jours
  d) 18 jours

10 À quoi est comparé le bruit de la pompe?
  a) Au bruit des vagues
  b) À l'haleine engorgée d'un monstre
  c) Au bruit des roues d'un chariot
  d) Au son d'une cloche

Les réponses se trouvent dans la note en bas de page[1].

1. 1b, 2c, 3d, 4b, 5d, 6a, 7b, 8c, 9a, 10b

Votre vitesse

Calculez maintenant votre vitesse de lecture en divisant le nombre de mots par le temps obtenu en vous inspirant du tableau suivant, qui vous donne des indications pour vous aider à effectuer le calcul.

X minutes 0 à 14 secondes	÷ X
X minutes 15 à 24 secondes	÷ X,25
X minutes 25 à 44 secondes	÷ X,5
X minutes 45 à 59 secondes	÷ X,75

Par exemple : vous avez mis 4 minutes 18 secondes à lire l'extrait. Divisez 1000 mots par 4,25 minutes, soit le cas présenté dans la deuxième ligne du tableau. Votre vitesse est de 235 mots par minute.

Classement des lecteurs

Le tableau ci-dessous répartit les vitesses en quatre groupes.

Très lent	Moins de 350 mots par minute
Lent	De 350 à 600 mots par minute
Rapide	De 600 à 1000 mots par minute
Très rapide	Plus de 1000 mots par minute

Surpris par votre classement ? Les étudiants de niveau collégial lisent entre 125 et 350 mots à la minute, avec une moyenne de 225 mots par minute. Les diplômés universitaires obtiennent une moyenne un peu supérieure, mais ils se classent malgré tout dans les lecteurs très lents, ce qui inclut plusieurs de vos professeurs. Sans entraînement, il est très rare de voir un lecteur dépasser 350 mots minute. Ne soyez donc pas déçu si vous vous retrouvez parmi les lecteurs très lents, cela vous indique seulement qu'il y a de la place pour amélioration. Pour y arriver, il faut d'abord comprendre le mécanisme impliqué dans la lecture et ensuite s'entraîner.

Sans entraînement, il est très rare de voir un lecteur dépasser 350 mots minute.

Une question se pose inévitablement : qu'en est-il de la compréhension et de la mémorisation de l'information ? Pourquoi lire vite si je ne me souviens de rien ou si je ne comprends pas la matière ? Aussi étonnant que cela puisse paraître, la mémorisation de l'information augmente avec la vitesse. Cela n'est pas une théorie, mais un fait vérifié dans toutes les études, en particulier par François Richaudeau[2], un chercheur et un pionnier dans les méthodes de lecture rapide.

---

2. François Richaudeau (1979). *Méthode de lecture rapide*. Montréal, France-Amérique, p. 35.

Comprendre le mécanisme de la lecture

Contrairement à ce que la plupart des gens pensent, l'œil ne se déplace pas de manière continue lors de la lecture, mais par bonds. Des points de fixation de 1,25 seconde alternent avec des sauts effectués en 1/40 de seconde. Ces temps sont identiques quelle que soit la vitesse de lecture. Ce qui varie, c'est le nombre de points de fixation. Voyons en quoi se distinguent les lecteurs lents des lecteurs rapides.

Les lecteurs très lents appliquent un point de fixation par mot (•). Ils repartent aussi en arrière. D'autres lecteurs subvocalisent, c'est-à-dire qu'ils prononcent silencieusement les mots, leurs lèvres bougent, et cela les ralentit considérablement[3].

Dans la plaine rase, sous la nuit sans étoiles, d'une obscurité et
•   •   •   •   •   •   •   •   •

d'une épaisseur d'encre, un homme suivait seul la grande route de
•   •   •   •   •   •   •   •

Les lecteurs rapides englobent 5 à 10 mots par point de fixation. Cela représente deux points de fixation par ligne sur une page de livre classique, ou un point par ligne pour une colonne de texte dans une revue ou un journal.

Dans la plaine rase, sous la nuit sans étoiles, d'une obscurité et
•   •

d'une épaisseur d'encre, un homme suivait seul la grande route de
•   •

Quant aux lecteurs très rapides, ils feront seulement quelques points de fixation par paragraphe : deux points de fixation pour les premières lignes, quelques-uns pour le centre du paragraphe et deux pour la dernière ligne.

---

3. Un orateur parle environ à la vitesse de 9000 mots à l'heure. Par comparaison, un lecteur lent (225 mots par minute) lira 13 500 mots dans le même laps de temps.

> Dans la plaine rase, sous la nuit sans étoiles, d'une obscurité et d'une épaisseur d'encre, un homme suivait seul la grande route de Marchiennes à Montsou, dix kilomètres de pavé coupant tout droit, à travers les champs de betteraves. Devant lui, il ne voyait même pas le sol noir, et il n'avait la sensation de l'immense horizon plat que par les souffles du vent de mars, des rafales larges comme sur une mer, glacées d'avoir balayé des lieues de marais et de terres nues. Aucune ombre d'arbre ne tachait le ciel, le pavé se déroulait avec la rectitude d'une jetée, au milieu de l'embrun aveuglant des ténèbres.

Ajoutons que les lecteurs rapides et très rapides adaptent leur vitesse de lecture au niveau de difficulté du texte, à sa densité, ainsi qu'à la nature de l'information qui s'y trouve.

Vous lisez un article sur les bélugas dans le fleuve Saint-Laurent dans la revue *Québec science*. Vous n'êtes pas un biologiste, mais vous vous intéressez à l'actualité scientifique. Au début d'un paragraphe, se trouve le texte suivant :

> « L'étude a été menée par le docteur Pierre Bélanger de l'Institut national de biologie de Rimouski, Stéphane Tremblay, un étudiant au doctorat à l'Université du Québec à Chicoutimi et par Marie-Pier Léger, étudiante en maîtrise à l'Université du Québec à Montréal... ».

Si vous lisez rapidement, vous assignerez un point de fixation à la première moitié de la première ligne, et un deuxième point de fixation après la longue énumération des personnes impliquées dans l'étude parce que vous ne tenez pas à retenir ces noms et ces universités. Par contre, un biologiste marin prendra connaissance de ces informations.

Élargir son champ de vision

Faites le petit test suivant. Déposez sur une table trois petits objets à environ 60 centimètres de distance les uns des autres (crayon, gomme à effacer, agrafeuse, etc.). En ne quittant pas des yeux celui qui est au milieu, saisissez simultanément les deux autres objets avec chacune de vos mains. Facile, n'est-ce pas? Votre champ de vision dépasse largement un ou deux mots.

Pas de recette compliquée: pour lire plus vite, il suffit de diminuer le nombre de points de fixation, ce qui implique un élargissement de votre champ de vision.

EXERCICE

Lisez le texte de la page suivante en vous appliquant à faire une fixation à chaque point (•). Cette lecture devrait vous prendre environ cinq secondes.

Prenez une revue ou un article de journal imprimé sur colonnes. Lisez-le en faisant un point de fixation par ligne. Ne vous souciez pas de la compréhension, le but n'étant pas de prendre connaissance de l'information qui s'y trouve, mais d'élargir votre champ de vision.

Il fit environ deux cents pas

•

Brusquement, à un coude du chemin

•

les feux reparurent près de lui

•

sans qu'il comprît davantage

•

comment ils brûlaient si haut

•

dans le ciel mort

•

pareils à des lunes fumeuses

Mais, au ras du sol

•

un autre spectacle venait de l'arrêter

•

C'était une masse lourde

•

un tas écrasé de constructions

•

d'où se dressait la silhouette

•

d'une cheminée d'usine

•

de rares lueurs sortaient des fenêtres encrassées

•

cinq ou six lanternes tristes étaient pendues dehors

•

Vous pouvez poursuivre votre entraînement en faisant des gammes. Ces exercices se trouvent en fin de chapitre et sur le site Internet complémentaire de l'ouvrage.

Gammes

Accélérer sa vitesse de lecture

Vous n'êtes peut-être pas un novice en lecture, si vous lisez depuis plusieurs années. Dans ce cas, il est toujours difficile de modifier un comportement bien ancré par des années de pratique. L'exercice suivant est conçu pour vous amener à modifier votre technique de lecture. Répétez-le régulièrement, surtout si vous avez l'impression que vous régressez.

EXERCICE

Idéalement, vous faites cet exercice avec un métronome réglé à une vitesse de 120, ce qui correspond environ à deux points de fixation par seconde. Vous pouvez aussi donner le rythme en prononçant à haute voix «toc, toc, toc...» sans marquer de pause entre chaque «toc», ce qui équivaut à peu près au 120 du métronome. L'avantage de ce dernier, c'est que vous n'avez pas à vous concentrer pour tenir le rythme. Utilisez votre index pour marquer chaque point de fixation, votre œil suivra plus facilement. Prenez un livre de format classique, un roman par exemple. Vous devez vous concentrer pour faire deux points de fixation par ligne, pas plus. L'exercice peut vous sembler absurde à première vue, mais il est aussi efficace que bénéfique pour changer vos habitudes de lecture.

S'entraîner à la lecture rapide

Il n'y a pas de secret pour augmenter sa vitesse de lecture, il faut s'entraîner. Voici donc un programme étalé sur huit semaines, à raison de trois séances par semaine. Au total, vous devrez travailler 40 minutes par semaine. À la fin du programme, vous aurez doublé, voire triplé votre vitesse de lecture, à condition d'y être fidèle.

Il y a deux types d'exercice.

- Dans le premier type, vous lisez des articles de journaux ou les pages d'un livre. Le sujet n'a aucune espèce d'importance, le but étant de développer de bonnes habitudes de lecture. Vous lisez pendant 15 minutes. Respectez les règles suivantes : s'il s'agit d'un article, vous faites un point de fixation par ligne, si c'est un livre, vous faites deux points de fixation par ligne. Ne cherchez pas à comprendre le texte, il s'agit tout simplement d'accélérer votre vitesse de lecture. Idéalement, lisez avec un métronome réglé à la vitesse de 120.

- Dans le second type, vous faites les gammes qui se trouvent à la fin du chapitre et sur le site Internet. Entraînez-vous pendant dix minutes. Au fil des semaines, relisez les gammes ou construisez-en de votre cru.

Voici un exemple d'horaire hebdomadaire. Les périodes sont réparties sur les lundis, mercredis et vendredis. Adaptez cet horaire en fonction des jours qui vous conviennent le mieux.

Lundi	Mercredi	Vendredi
Lecture 15 minutes	Gammes 10 minutes	Lecture 15 minutes

Vous trouverez le programme complet sur le site Internet de l'ouvrage. Imprimez-le et inscrivez-y les dates. Rayez chacune des séances à mesure que vous les faites, cela vous encouragera à persister.

Programme d'entraînement
vitesse de lecture

Vous pouvez refaire ce programme une ou deux fois par année afin de maintenir votre vitesse et même de l'améliorer.

Lisez vite, lisez mieux !

Mesurer son amélioration

Vous êtes-vous bien entraîné ? Il est temps de connaître votre nouvelle vitesse de lecture. Allez sur le site Internet de l'ouvrage afin d'y réaliser le second test de vitesse de lecture. Il est accompagné d'un test de mémorisation. Le texte est un extrait des *Trois mousquetaires* d'Alexandre Dumas. Vous pouvez aussi lire tout autre texte. Il vous suffira de compter les mots.

Texte 2
Test de mémorisation 2

Maintenir sa vitesse

La régression est inévitable. On peut faire l'analogie avec une coureuse de 100 mètres : sans entraînement, son temps s'accroît. Afin de maintenir votre vitesse, sinon l'augmenter, exercez-vous avec des romans au cours de l'été, ou encore consultez régulièrement des journaux ou des revues. Appliquez-vous à faire deux points de fixation par ligne dans un livre ou un point dans un article monté en colonne.

Un troisième test de vitesse est également mis à votre disposition sur le site Internet. Comme pour les deux autres tests, il est accompagné d'une évaluation de votre mémorisation de l'information.

Texte 3
Test de mémorisation 3

MÉTHODE DE LECTURE

Cette méthode se base sur le principe général suivant : soyez proactif, cherchez à connaître ce qu'il y a dans le texte avant de le lire dans le détail. Cessez d'être passif. Une erreur classique consiste à amorcer la lecture d'un document en sautant l'introduction et en se précipitant à la première ligne du premier chapitre. C'est ce que font la plupart des lecteurs et, malheureusement, c'est pourquoi leur lecture est peu efficace.

Soyez proactif, cherchez à connaître ce qu'il y a dans le texte avant de le lire dans le détail.

Il y a trois grandes étapes dans la démarche qui vous est proposée : premier contact, lecture préliminaire et lecture détaillée. Les objectifs précis et leurs tâches correspondantes sont présentés ci-après. Bien sûr, il faut s'adapter à la longueur du texte et à sa nature (article, livre, manuel scolaire, devis technique, etc.).

Une remarque s'impose avant tout : les contextes de lecture diffèrent. On peut lire un texte pour son plaisir, pour ses cours ou encore dans le cadre du travail. Si vous devez lire un roman pour un cours, vous aurez davantage intérêt à bien le comprendre. Vous prendrez donc connaissance de quelques pages au début et à la fin. En connaissant la chute du roman, vous en verrez plus facilement les ficelles. Bien sûr, vous ne ferez pas cela sur une plage...

Premier contact

Objectif

L'objectif de la prise de contact est de saisir ce que l'auteur veut dire (sujet posé) et comment il compte s'y prendre (sujet divisé).

Cette première étape requiert en général une dizaine de minutes.

Tâches

Jetez d'abord un coup d'œil au livre en le feuilletant très rapidement. Vous pouvez déjà vous faire une idée de la nature du document. Ensuite, lisez la jaquette du livre, l'introduction et la conclusion. Le but poursuivi par l'auteur et son plan général se dévoilent.

Regardez ensuite la table des matières. Si cette dernière est très détaillée, lisez en premier lieu les titres des chapitres et, en second lieu, le détail de chacun d'entre eux.

EXERCICE

Prenez un livre et appliquez la méthode qui vient d'être présentée. Gardez en tête que vous cherchez à connaître l'objectif de l'auteur ainsi que la façon dont il compte s'y prendre pour l'atteindre.

Lecture préliminaire

Objectifs

L'étape de la lecture préliminaire devrait vous permettre d'atteindre deux objectifs :

1. Cerner les parties pertinentes selon l'information que vous recherchez.

2. Préciser le contenu du document.

Il ne s'agit pas d'éviter de lire le texte en entier, mais plutôt d'avoir une idée d'ensemble avant de prendre connaissance des détails. De plus, vous arriverez peut-être à la conclusion que ce document n'est pas vraiment pertinent pour votre recherche ou encore que seulement certains chapitres le sont. Cela modifiera bien sûr votre approche pour la lecture détaillée, qui constitue la troisième étape de la méthode.

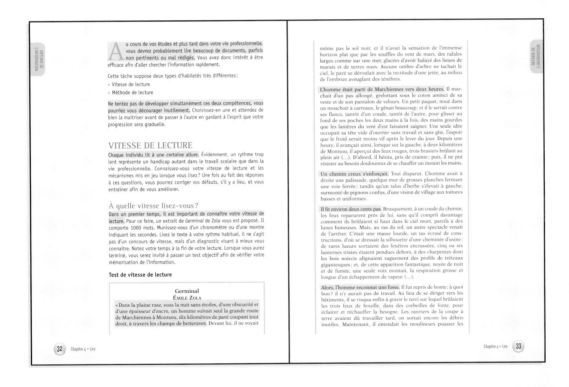

Tâches

1. Lisez trois paragraphes dans chacun des chapitres : le premier, le dernier et un au hasard. Comme chaque chapitre est un petit texte en soi, le premier paragraphe constitue l'introduction, le dernier correspond à la conclusion et celui qui est sélectionné au hasard vous donnera de l'information. La durée de cette tâche est variable, mais imaginons un livre de 250 pages, contenant 7 chapitres, cela donne un total de 21 paragraphes, soit environ une quinzaine de minutes.

2. Lisez la première phrase, et uniquement la première, de chaque paragraphe. Habituellement, un paragraphe bien écrit se concentre sur une seule idée, qui devrait apparaître dans la première phrase, sinon dans la seconde. Le cœur du paragraphe présente les détails, la dernière phrase résume l'idée en faisant parfois une transition avec le paragraphe suivant. En ne lisant que la première phrase, vous allez à l'essentiel et, surtout, vous avez un bon aperçu de l'enchaînement des idées avant de prendre connaissance des détails[4].

Ces deux approches sont complémentaires et elles doivent être adaptées au texte que vous avez à lire. Il est évident que la première ne peut s'appliquer dans le cas d'un article qui ne comporte pas de chapitres. De même, la seconde convient moins bien à un manuel scolaire de mathématiques. Avec l'expérience, vous apprendrez à vous ajuster en fonction de la nature du texte.

Vous avez sûrement remarqué que l'ensemble de la méthode de lecture part du général pour aller vers les détails. C'était le cas avec la table des matières, où vous preniez connaissance des titres des chapitres avant de consulter les sous-titres. Ce principe général sous-tend aussi les deux tâches de cette lecture préliminaire où vous lisez l'introduction et la conclusion de chaque chapitre avant d'entrer un peu plus dans les détails en lisant la première phrase de chaque paragraphe.

Texte première phrase
Texte complet

EXERCICE

Sur le site Internet de l'ouvrage, vous trouverez deux textes sous la rubrique « Méthode de lecture ». Lisez le premier texte en appliquant la méthode de la première phrase. Faites un résumé (30 mots au maximum). Lisez le second texte au complet. Avez-vous l'impression que vous êtes passé à côté de renseignements importants lors de votre lecture préliminaire ?

Sélectionnez un article dans un journal ou une revue et appliquez-vous à lire la première phrase de chaque paragraphe. Résumez alors le texte en quelques lignes. Relisez l'article au complet. Avez-vous l'impression que vous êtes passé à côté de renseignements importants lors de votre lecture préliminaire ?

---

4. Appliquez ce principe à la relecture de vos textes. Les traitements de textes vous permettent d'afficher seulement la première ligne de chaque paragraphe. En tant qu'auteur, vous connaissez votre texte et cette première ligne est suffisante pour vous rappeler la phrase entière. Vous pourrez ainsi suivre rapidement l'enchaînement de vos idées et vous assurer de la cohérence de votre texte.

Lecture détaillée

Aussi étonnant que cela puisse paraître, il y a peu à dire sur la troisième étape, la lecture détaillée. En fait, il est maintenant temps de sortir crayons et papier.

Objectif

Effectuer une analyse fine du texte afin de se l'approprier.

Notes de lecture

Tâches

Lisez toutes les phrases en prenant des notes suivant la méthode décrite au chapitre « Prendre des notes ».

E n combinant une bonne vitesse et une bonne méthode de lecture, vous serez en mesure de vous approprier plus rapidement et plus efficacement les différents documents dont vous aurez à prendre connaissance tout au long de votre vie.

Varier votre vitesse

Il faut tenir compte du niveau de difficulté du texte que vous avez sous les yeux et ajuster votre vitesse (nombre de points de fixation) en conséquence.

Évaluer la pertinence d'un texte

Avant de lire un texte, demandez-vous si l'information est pertinente pour vous et distinguez ensuite l'essentiel de l'accessoire pour ne retenir que les points importants.

Refaire à l'occasion...

Un test afin de vérifier votre vitesse de lecture.

L'exercice avec le métronome (trois ou quatre fois par année).

Suivre une formation

Pourquoi ne pas suivre un cours dans une école de lecture ? Consultez les Pages jaunes à la rubrique *Écoles de lecture rapide*.

Éviter...

La subvocalisation : cela ralentit énormément la lecture.

Un point de fixation au début ou à la fin d'une ligne.

Un point de fixation pour chaque mot.

Persister

Il n'est pas facile de changer des habitudes bien ancrées. Vous allez sûrement retomber rapidement dans vos anciens travers. Persistez, insistez, lisez intelligemment.

GAMMES

Consignes : lire les textes qui suivent en faisant un point de fixation par groupe de mots. Rappel : il s'agit ici de vous habituer à élargir votre champ de vision, et, dans cet exercice, il ne faut pas vous soucier de la rétention d'informations. Répéter régulièrement.

Petit, brun, très vif, joli homme,
d'un de ses oncles,
Et il semblait tout au convive
un gros monsieur
le célèbre Amadieu,
depuis son fameux coup
Lorsque les titres étaient tombés
comme un fou,
au hasard, sans calcul ni flair,
Aujourd'hui que la découverte
avait fait dépasser aux titres
il gagnait une quinzaine de millions ;
il venait d'hériter de la charge
à trente-deux ans.
qu'il avait en face de lui,
à figure rouge et rasée,
que la Bourse vénérait,
sur les Mines de Selsis.
et que l'on considérait tout acheteur
il avait mis dans l'affaire sa fortune
par un entêtement de brute chanceuse.
de filons réels et considérables
le cours de mille francs,
et son opération imbécile
qui aurait dû le faire enfermer autrefois,
le haussait maintenant au rang des vastes cerveaux financiers.
Il était salué, consulté surtout.
D'ailleurs, il ne donnait plus d'ordres, comme satisfait,
trônant désormais dans son coup de génie unique et légendaire.

Extrait de Émile Zola (1891). *L'argent.*

Or, quand un Américain a une idée
qui la partage.
ils élisent un président
Quatre, ils nomment un archiviste,
Cinq, ils se convoquent
et le club est constitué.
Le premier qui inventa un nouveau canon
et le premier qui le fora.
[Littéralement «Club-Canon».].
il comptait dix-huit cent trente-trois
trente mille cinq cent soixante-quinze
Une condition sine qua non
il cherche un second Américain
Sont-ils trois,
et deux secrétaires.
et le bureau fonctionne.
en assemblée générale,
Ainsi arriva-t-il à Baltimore.
s'associa avec le premier qui le fondit
Tel fut le noyau du Gun-Club
Un mois après sa formation,
membres effectifs et
membres correspondants.
était imposée à toute personne
qui voulait entrer dans l'association,
la condition d'avoir imaginé ou, tout au moins,
perfectionné un canon ; à défaut de canon,
une arme à feu quelconque. Mais, pour tout dire,
les inventeurs de revolvers à quinze coups (…)

Extrait de Jules Verne (1865). *De la terre à la lune.*

Tout reprit son calme.
sur les cartons,
pendant deux heures
quoiqu'il y eût bien,
quelque boulette de papier
qui vînt s'éclabousser
Mais il s'essuyait avec la main,
les yeux baissés.
il tira ses bouts de manches
mit en ordre ses petites affaires,
Nous le vîmes
cherchant tous les mots

Les têtes se courbèrent
et le nouveau resta
dans une tenue exemplaire,
de temps à autre,
lancée d'un bec de plume
sur sa figure.
et demeurait immobile,
Le soir, à l'Étude,
de son pupitre,
régla soigneusement son papier.
qui travaillait en conscience,
dans le dictionnaire

et se donnant beaucoup de mal.
Grâce, sans doute, à cette bonne volonté dont il fit preuve,
il dut de ne pas descendre dans la classe inférieure ;
car, s'il savait passablement ses règles,
il n'avait guère d'élégance dans les tournures

Extrait de Gustave Flaubert (1857). *Madame Bovary.*

C'est à la suite
que troublé et navré,
par les orages extérieurs,
dans la solitude, sinon le calme,
Si je faisais profession
je pourrais croire ou prétendre
entraîne le calme de l'esprit
désastreux de l'histoire contemporaine ;
et j'avoue humblement
ne saurait fermer l'accès,
à la douleur de traverser
et déchiré par la guerre civile.

des néfastes journées de juin 1848,
jusqu'au fond de l'âme,
je m'efforçai de retrouver
au moins la foi.
d'être philosophe,
que la foi aux idées
en présence des faits
mais il n'en est point ainsi pour moi,
que la certitude d'un avenir providentiel
dans une âme d'artiste,
un présent obscurci
Pour les hommes d'action

qui s'occupent personnellement du fait politique,
il y a, dans tout parti, dans toute situation,
une fièvre d'espoir ou d'angoisse, une colère ou une joie,
l'enivrement du triomphe ou l'indignation de la défaite.
Mais pour le pauvre poète, comme pour la femme oisive,

Extrait de George Sand (1849). *La petite Fadette.*

Prendre des notes

- Savez-vous ce que vous devez souligner dans vos lectures et comment les annoter ?

- Avez-vous l'impression que vos notes ont été rédigées dans une autre langue ?

- Vos notes de cours sont-elles décousues et incompréhensibles ?

- Vous dispensez-vous de relire vos notes de cours parce qu'elles vous semblent inutiles ?

- Savez-vous prendre des notes en classe ?

La prise de notes est une étape critique de tout apprentissage : elle sert en quelque sorte d'interface entre la matière à apprendre et sa mémorisation. Peu importe vos qualités personnelles, la lecture et l'écoute en classe ne vous suffiront pas si vous voulez retenir durablement un cours : il faut le faire transiter par votre poignet ! Les étudiants sont amenés à prendre beaucoup de notes, que ce soit lors de la lecture d'un document ou pendant les cours. Ces deux situations exigent des techniques différentes et la mise en œuvre d'aptitudes particulières.

NOTES DE LECTURE

Notes de lecture

Prendre des notes de lecture ne consiste pas à faire un simple résumé. En effet, les notes de lecture doivent permettre de conserver l'information recueillie pendant la lecture pour la réutiliser plus tard, lors de la préparation d'un examen ou de la composition d'un texte. Pour atteindre cet objectif, il faut agir en deux temps : annoter les documents lus et remplir des fiches.

Annoter les documents

Les annotations visent trois objectifs :

- Comprendre le texte
- Favoriser une relecture rapide
- Repérer ultérieurement des renseignements

Soyez actif lors de votre lecture. Ayez toujours en main un crayon et un surligneur. Ne laissez pas le texte vous submerger. Intervenez, écrivez, surlignez[1], mais de façon intelligente et ordonnée, c'est-à-dire en observant les règles de base ci-après. En un mot, appropriez-vous le texte.

Règles de base

- Ne soulignez que les mots-clés. Ils font apparaître la structure du texte ainsi que les idées principales. Utilisez la marge pour indiquer la nature de l'information surlignée (thèse, hypothèse, théorie, argument, avantage, désavantage, exemple, figure de style, etc.).
- Évitez de souligner les définitions, limitez-vous au concept défini. Par contre, indiquez la présence d'une définition dans la marge (DF), vous pourrez la retrouver rapidement.

---

1. Ces principes s'appliquent bien évidemment aux livres qui vous appartiennent. Respectez les documents empruntés à la bibliothèque.

» Soulignez les marqueurs de relation ou connecteurs logiques, c'est-à-dire les mots qui indiquent les liens entre les idées, comme « premièrement, deuxièmement, par contre, cependant, en premier lieu, en second lieu, dans un premier temps », et toutes leurs variantes qu'il serait trop long ici d'énumérer.

Grâce à ces annotations, vous ferez apparaître les grandes articulations du texte.

À titre indicatif, voici des exemples d'abréviations que vous pouvez écrire dans la marge de vos textes.

» DF : définition
» EX : exemple
» IP : idée principale
» IS : idée secondaire
» TH : thèse
» ARG 1 : argument n° 1
» ARG 2 : argument n° 2

Voici maintenant un exemple de texte annoté et surligné.

	Tout au long du 20ᵉ siècle, le rôle de l'État a fait l'objet de nombreuses réflexions. Deux grands courants vont s'opposer sur la question.
DF	Le premier courant, d'inspiration néolibérale, préconise un État minimal qui se limite à protéger les droits fondamentaux. Ces derniers se réduisent à la liberté et à la sécurité. Certains auteurs vont inclure le droit à la propriété.
DF	Le second courant propose un interventionnisme de l'État plus important. On parle souvent d'État-providence. Cette approche accorde à l'État un rôle plus large : il doit défendre les droits fondamentaux, mais aussi des droits dits socioéconomiques. Ces derniers sont constitués de la sécurité sociale, la santé, l'éducation, le revenu minimum, la protection contre le chômage, etc.
TH *ARG 1* *ARG 2*	Les défenseurs d'un État minimal vont invoquer quatre arguments. En premier lieu, ils affirment que cela limite la concentration du pouvoir dans les mains de ceux qui gouvernent. Cette dernière peut s'avérer néfaste pour l'économie. En second lieu, ils invoquent le fait que l'État est moins efficace que le secteur privé lorsque vient le temps de réaliser des tâches. En troisième lieu, (…)

Cette technique de surlignage autorise une relecture ultérieure afin d'accéder très rapidement à l'essentiel du texte.

Évitez le surlignage abusif.

Évitez le surlignage abusif. Cela ne favorise ni la compréhension ni une relecture rapide du texte. De plus, cela risque d'induire un faux sentiment de sécurité en vous laissant croire que vous avez compris le texte.

Comparez le travail effectué précédemment avec l'abondant surlignage du même texte.

<table>
<tr><td></td><td>Tout au long du 20e siècle, le rôle de l'État a fait l'objet de nombreuses réflexions. Deux grands courants vont s'opposer sur la question.</td></tr>
<tr><td>DF</td><td>Le premier courant, d'inspiration néolibérale, préconise un État minimal qui se limite à protéger les droits fondamentaux. Ces derniers se réduisent à la liberté et à la sécurité. Certains auteurs vont inclure le droit à la propriété.</td></tr>
<tr><td>DF</td><td>Le second courant propose un interventionnisme de l'État plus important. On parle souvent d'État-providence. Cette approche accorde à l'État un rôle plus large : il doit défendre les droits fondamentaux, mais aussi des droits dits socioéconomiques. Ces derniers sont constitués de la sécurité sociale, la santé, l'éducation, le revenu minimum, la protection contre le chômage, etc.</td></tr>
<tr><td>TH
ARG 1

ARG 2</td><td>Les défenseurs d'un État minimal vont invoquer quatre arguments. En premier lieu, ils affirment que cela limite la concentration du pouvoir dans les mains de ceux qui gouvernent. Cette dernière peut s'avérer néfaste pour l'économie. En second lieu, ils invoquent le fait que l'État est moins efficace que le secteur privé lorsque vient le temps de réaliser des tâches. En troisième lieu, (…)</td></tr>
</table>

Rédiger des fiches de lecture

Fiche de lecture

La fiche de lecture est un grand classique pour la prise de notes et le classement de ses idées. Travailler avec des fiches permet de pouvoir traiter indépendamment les différents renseignements recueillis lors de la lecture et de les réorganiser selon ses besoins.

L'expérience montre que des fiches de 10 cm sur 15 cm, ou 4 po sur 6 po, sont d'un format idéal pour ce type de travail. Pourquoi ne pas utiliser tout simplement des feuilles 8 1/2 sur 11 ? Essentiellement parce qu'elles sont trop grandes : soit vous y notez une seule idée, et vous gaspillez alors inutilement du papier ; soit on y retrouve plusieurs idées, ce qui nuit à l'objectif de l'utilisation des fiches : la manipulation des idées. Il devient difficile de les dissocier, à moins de sortir les ciseaux…

Contenu des fiches

N'ayez pas peur de remplir beaucoup de fiches, c'est l'avantage de la fiche en papier peu coûteuse. Notez-y les éléments suivants : citations, idées personnelles, résumés, thèses, arguments (*pour* ou *contre*), références, expériences personnelles, exemples, tableaux, schémas, etc.

Comment remplir vos fiches

Une idée, une fiche. N'utilisez jamais le verso, uniquement le recto, vous pourrez ainsi manipuler, classer et déplacer vos idées.

Une idée, une fiche.

Décrivez l'information qui se retrouve sur la fiche :

- En déterminant le domaine général (philosophie, psychanalyse, mathématiques, etc.).
- En indiquant le titre du chapitre éventuel de votre texte où cette information irait se loger.
- En utilisant un ou plusieurs mots-clés, c'est-à-dire des termes décrivant la nature de l'information qui apparaît sur la fiche. Ces mots-clés vous permettront de classer les fiches pour la rédaction de votre texte. Un des avantages de la fiche, c'est qu'elle peut être conservée pour une utilisation ultérieure, à condition que les mots-clés soient choisis avec soin. (Par exemple : théorie de la connaissance, inconscient, algèbre, etc.)
- En donnant la source de l'information. (Par exemple : Platon, Phèdre, p. 97 ; Freud, Essais de psychanalyse, p. 198, etc.)
- Après avoir colligé les renseignements et ordonné les fiches, attribuez un numéro à la fiche qui indiquera sa position dans votre texte. Inscrivez ce numéro à la mine afin de pouvoir le changer si cela s'avère nécessaire, soit parce que vous avez modifié le plan du texte, soit parce que vous utiliserez la fiche dans un travail ultérieur.

Tous ces renseignements se répartissent en deux sections, référence et idée, sur le modèle suivant :

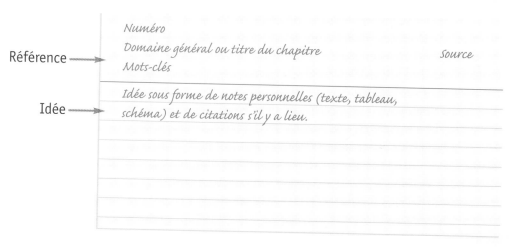

Voici maintenant un exemple de fiche complète :

> 8
>
> Psychanalyse – Premier topique   Vocabulaire psychanalyse p. 197
> Inconscient – Freud
>
> ---
>
> **Cit.** « Désigne un des systèmes définis par Freud dans le cadre de
> sa première théorie de l'appareil psychique : constitué de contenus
> refoulés qui se sont vu refuser l'accès au système préconscient
> conscient. »
> **Pers.** Dans la théorie freudienne, partie de la personnalité qui n'est
> pas consciente et où on retrouve des fantasmes et des traumatismes
> hérités de l'enfance.

Citation

Ne vous limitez pas à une citation. Ajoutez toujours une reformulation dans vos propres mots ou des commentaires. Assurez-vous que le type d'information soit bien déterminé (par exemple : **cit.** pour « citation » et **pers.** pour « notes personnelles »).

Indiquez clairement la source de l'information afin de pouvoir la retracer (référence). Il y a plusieurs façons de procéder. La plus simple consiste à écrire le titre de l'article ou du livre et la page où vous avez pris cette information. Vous pouvez aussi ajouter le nom de l'auteur et l'année de publication. Si l'auteur en question a publié plusieurs textes dans une même année, votre bibliographie comportera donc plusieurs titres. Assignez alors une lettre à la référence : la lettre « a » pour la première référence, la lettre « b » pour la deuxième, et ainsi de suite. S'il s'agit d'une idée personnelle, inscrivez « personnel » comme source de l'information. Cette méthode est illustrée dans les exemples ci-après.

Schéma

Vous pouvez aussi noter les renseignements sous forme de schéma ou de tableau à double entrée.

Schéma

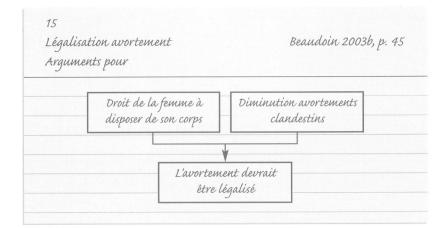

Tableau d'information

33
Homère   Cours philo 103, automne 2003
Comparaisons Iliade - Odyssée

Descripteurs	Iliade	Odyssée
Date	- 850	- 750
Héros	Achille	Ulysse
Fil directeur	Colère d'Achille et conséquences	Retour de la guerre de Troie et vengeance
Domaine	Guerre	Civil
Valeurs	Honneur, courage, bravoure	Ruse, fidélité, hospitalité

Comment utiliser vos fiches

En plus de servir de « mémoire » pour les renseignements que vous avez tirés de vos lectures, les fiches sont très utiles pour réaliser une recherche, rédiger un texte ou encore préparer une présentation orale. En effet, elles permettent de construire un plan et d'organiser votre contenu en un tournemain.

Comment procéder?

* Prenez d'abord le temps de relire toutes les fiches liées à votre sujet.

* Classez ensuite vos fiches par piles (les chapitres ou les sections de votre contenu à élaborer). Prenez une pile et étalez toutes les fiches. Ordonnez-les afin d'en faire une suite cohérente où les idées s'enchaînent bien. Si une information, une idée, un argument, un exemple semblent manquer, insérez une fiche vierge avec le titre de l'information et prenez les mesures nécessaires pour la remplir.

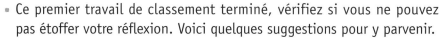

Définition

* Ce premier travail de classement terminé, vérifiez si vous ne pouvez pas étoffer votre réflexion. Voici quelques suggestions pour y parvenir.

  – Isolez les fiches définissant des concepts importants. Consultez différents dictionnaires pour chacun d'entre eux : usuel, noms propres, synonymes, antonymes, étymologique ou spécialisé. Regroupez les concepts qui partagent des similitudes. Refaites l'exercice en regroupant les concepts qui s'opposent. De nouvelles pistes pourront alors surgir de ce brassage de concepts.

  – Imaginez différents points de vue sur le sujet : légal, historique, psychologique, démographique, politique, économique, philosophique, etc.

  – Changez l'organisation de vos fiches. Très souvent, cela donne une autre perspective aux renseignements que vous avez colligés. Par exemple, vous devez comparer quatre conceptions philosophiques de l'être humain, élaborée chacune par un philosophe différent. Cinq thématiques reviennent : liberté, déterminisme, égalité, âme et raison. Faites un premier classement par philosophe. Changez le classement en reprenant les fiches et en les ordonnant par thèmes. Ce sont les mêmes renseignements, mais leur présentation est différente, et l'une des deux vous semblera peut-être plus édifiante.

* Révisez votre classement à la lumière des nouvelles fiches que vous avez remplies.

* Lorsque leur ordre vous satisfait, numérotez les fiches en incluant les fiches vierges à remplir ultérieurement s'il y a lieu. Si vous avez plusieurs groupes de fiches (qui décrivent, par exemple, plusieurs parties d'un travail), numérotez chaque pile indépendamment et ajoutez une fiche indiquant le titre de la partie correspondante.

Vous disposez maintenant d'un plan cohérent pour votre travail et de toute l'information nécessaire à sa préparation.

Illustration de la procédure

Voici un court exemple d'une séquence de fiches[2], suivie d'un extrait du plan correspondant à l'exemple.

Normalement, d'autres fiches précèdent celles-ci.

3	
Affaires – Construction centre ski	*Antidote*
Définition Promoteur	
Homme d'affaires qui finance et construit des immeubles et des infrastructures dans le but de les louer ou de les vendre.	

4	
Affaires – Construction centre ski	*Site Sépaq*
Définition Parc provincial	
Propriété de l'État, sa mission est de protéger les milieux naturels et de les rendre accessibles à la population pour des fins éducatives et la pratique d'activités de plein air.	

5	
Affaires – Construction centre ski	*Journal X, p. Y*
Village	
Un village retiré de 450 personnes.	
Plusieurs retraités.	
Calme et très beau.	

6	
Affaires – Construction centre ski	*Journal X, p. Y*
Montagne	
Un écosystème varié et très bien conservé.	
Description à compléter.	

---

2. Le format des fiches a été réduit.

7

Affaires – Construction centre ski   *Site Sépaq*
Lois

Information à trouver :
Législation sur les parcs provinciaux.

8

Affaires – Construction centre ski   *Journal X, p. Y*
Argument interdiction

Destruction de la faune et de la flore.
Explications à ajouter.

9

Affaires – Construction centre ski   *Journal X, p. Y*
Argument interdiction

Appropriation par une entreprise privée d'une
partie du domaine public.
Justification à ajouter.

D'autres fiches devraient suivre.

Voici maintenant la partie du plan élaboré à partir de cette suite de fiches :

- Définition des mots-clés
  - Promoteur
  - Parc provincial
- Faits
  - Description du village
  - Écosystème
- Lois
  - À venir
- Arguments
  - Destruction faune flore
  - Domaine public passe au privé

NOTES DE COURS

Notes de cours

Les notes de cours sont des aides précieuses : elles facilitent l'assimilation de la matière, le travail de préparation des examens et la rédaction de textes.

Disons-le d'emblée : il n'y a pas de méthode miracle pour la prise de notes. Certaines tâches doivent être accomplies avant, pendant et après le cours. Évitez surtout de croire que le travail se limite aux heures de classe.

Avant le cours

Le soir précédant le cours ou dans une période libre dans la journée, un petit travail de préparation de quelques minutes s'avère toujours une excellente initiative. En effet, vous serez ainsi en mesure de vous situer dans le cours en prenant connaissance de ce qui a été vu, de ce qui fera l'objet du cours et de ce qui se présentera par la suite. Votre prise de notes n'en sera que plus pertinente.

- Jetez un coup d'œil au plan de cours, en particulier à l'échéancier s'il est disponible.
- Consultez les notes de la semaine précédente.
- Faites une lecture préliminaire du chapitre au programme, s'il y a lieu.
- Prenez connaissance du plan général, des parties ou des chapitres vus dans les semaines précédentes, puis des sections à venir.
- Relisez les glossaires, le vôtre et, le cas échéant, celui du manuel du cours.

Lecture préliminaire

Glossaire

Pendant le cours

Restez concentré sur le déroulement du cours, même si cela peut parfois s'avérer difficile (comme lorsque vous avez plusieurs heures de cours dans une même journée, un rhume, une fatigue de fin de session, etc.). Un matériel approprié, des tâches précises et l'utilisation d'abréviations facilitent la prise de notes et contribuent à maintenir votre attention.

Matériel suggéré

Utilisez des feuilles avec une marge à gauche pour y inscrire des notes après le cours. Si, par expérience, vous constatez que la marge standard ne suffit pas, tracez vos propres marges.

Employez une reliure à anneaux avec des feuilles volantes, vous pourrez alors y insérer de nouvelles feuilles ou les déplacer selon vos besoins. Cela s'avérera utile si vous devez compléter vos notes après le cours.

Ayez plus d'un crayon, vous ne serez pas pris au dépourvu s'il rend l'âme pendant un cours. Un correcteur réduira le nombre de ratures. Quelques surligneurs de couleurs différentes vous permettront déjà de mettre en évidence certaines parties de vos notes.

Tâches à accomplir

Prenez beaucoup de notes. Les avantages sont les suivants :

Technique des petites boîtes

- Il est difficile de comprendre une matière tout en écrivant et de distinguer l'essentiel de l'accessoire, surtout lorsqu'il s'agit d'une nouvelle matière. Il arrive parfois que ce qui n'apparaissait pas important sur le coup le devienne ultérieurement.

- Cette activité favorise la concentration. Si vous constatez que vous êtes souvent distrait pendant le cours, faites appel à la technique des petites boîtes.

Numérotez les pages ; vos notes seront plus faciles à suivre.

Inscrivez la date dans vos notes lorsque vous démarrez un nouveau cours. Vous pourrez ainsi suivre le déroulement de la session et repérer chacun des cours si nécessaire.

Notez les exemples. Ils facilitent la compréhension et la mémorisation des théories et des concepts.

Laissez la marge de gauche vierge afin d'y ajouter divers commentaires après le cours.

Ménagez des espaces blancs si vous n'avez pas le temps d'écrire. Vous pourrez les compléter éventuellement, seul ou en consultant un autre étudiant ou le professeur.

Indiquez à l'aide d'un astérisque les parties incomprises, vous pourrez ensuite y retourner.

Si vous avez des doutes pendant le cours, questionnez le professeur. Vous vous rendrez service ainsi qu'au reste de la classe. Une question se révèle rarement hors de propos.

Faites apparaître la structure de l'exposé en notant les titres et les sous-titres. Utilisez des couleurs différentes, le soulignement, la numérotation et la mise en retrait (déplacement des sections et des sous-sections vers la droite). Ce travail pourra être complété après le cours au besoin.

Exemple de plan de l'exposé

1. La littérature québécoise
   1.1 La Nouvelle-France
      1.1.1 Jacques Cartier
      1.1.2 Samuel de Champlain

Évitez les conversations pendant le cours. S'il le faut, changez de place au cours suivant. Soyez attentif aux indices que le professeur peut donner sur les évaluations à venir.

Abréviations utiles

Comme il est malaisé d'écrire et d'essayer de comprendre en même temps, vous avez intérêt à accélérez votre prise de notes. Les abréviations se révèlent alors très utiles. On les trouve sous deux formes : les abréviations universelles et celles qui sont propres à un cours ou à une discipline. Cela dit, trois techniques peuvent être utilisées, quelle que soit la nature de l'abréviation :

- Supprimer des lettres
- Couper les mots
- Utiliser des symboles

Voici des exemples d'abréviation pour chacune des techniques, à vous de les compléter en fonction de vos cours et de vos besoins.

- Supprimer des lettres
  - Quelques : qq
  - Toujours : tjrs
  - Baudelaire : BDL
  - Masse : M
  - Psychologie : ψie (ψ est la lettre grecque « psi »), avec ses variantes
    Psychologue : ψe
    Psychiatre : ψtre
  - Philosophie : φie (φ est la lettre grecque « fi »), aussi avec ses variantes
    Philosophe : φe
    Philosophique : φque

- Couper les mots
  - Économie : éco
  - Statistique : stat

- Utiliser des symboles
  - Plus : $+$
  - Il existe ou il est : $\exists$
  - Si et seulement si : !
  - Plus ou moins : $\pm$
  - Approximatif, à peu près : $\approx$
  - Implique, entraîne : $\rightarrow$
  - Est différent de, n'est pas : $\neq$
  - Donc : $\therefore$
  - Point de vue : $\odot$

Constituez à la fin de votre cahier de notes une liste des abréviations propres à un cours afin de pouvoir en retracer le sens en cas d'oubli.

Consultez les dictionnaires de noms communs, ils fournissent des listes d'abréviations assez exhaustives qui peuvent vous inspirer.

Constituez à la fin de votre cahier de notes une liste des abréviations propres à un cours afin de pouvoir en retracer le sens en cas d'oubli.

EXERCICE

Sélectionnez tous les mots que vous pouvez remplacer par une abréviation dans vos notes de cours de la semaine. Construisez une liste des abréviations propres à chacun des cours.

Après le cours

Ne tenez jamais vos notes de cours pour acquises. Un travail d'appropriation s'impose. Il vise un triple objectif : comprendre, mémoriser, interpréter. La mémoire étant limitée dans le temps, effectuez cette tâche le plus rapidement possible. Vous gagnerez ainsi un temps précieux.

Retravailler vos notes

Attention : il ne s'agit pas de réécrire vos notes au propre, ce serait dans la plupart des cas une perte de temps. Il s'agit plutôt de les revoir en complétant ou en clarifiant les points obscurs et la structure de vos notes. Effectuez les tâches suivantes.

- Vérifiez la présence d'astérisques qui indiquent les passages incompris et remplissez les espaces vides. Prenez les mesures pour résoudre ces problèmes en consultant la documentation du cours, un autre étudiant ou encore en prenant rendez-vous avec votre professeur.

- Composez une table des matières sur des feuilles à part. Premièrement, cela vous obligera à réfléchir sur la structure du cours et, deuxièmement, cela vous donnera une vue d'ensemble du contenu. Pour vous aider dans cette tâche, ajoutez des numéros (1, 2, 2.1, 2.2, 3, 3.1, 3.1.1, 3.1.2, etc.) ou des lettres (a, b, c, etc.), et surlignez les titres et les sous-titres.

p. 67

Glossaire

- Soulignez les mots-clés dans vos notes. Inscrivez dans la marge des abréviations afin de faire apparaître les éléments constitutifs de vos notes. Mettez à jour le glossaire en y ajoutant les nouvelles définitions.

- Composez vos propres exemples, en particulier pour les définitions.

■ Enfin, tâche cruciale, formulez des questions en regard de la matière présentée en classe. Trois raisons justifient ce travail :

– Un savoir est une réponse à une question. S'essayer à formuler cette question constitue un bon effort d'abstraction et un excellent exercice de synthèse.

– Comme vous êtes susceptible d'être évalué sur cette matière, vous aurez une bonne idée des questions auxquelles vous aurez à répondre.

– Vous pourrez reprendre ces questions afin de fabriquer des examens d'essai.

Questions

p. 163

Examen d'essai

Utilisez la marge de gauche. Ces questions seront plus ou moins générales selon le type d'évaluation annoncé (examen objectif, à développement court, à développement long, travail écrit, présentation orale, etc.). Formulez des questions de synthèse qui englobent plusieurs questions à portée plus restreinte afin de pouvoir y répondre adéquatement le cas échéant.

Si vous avez de la difficulté à construire vos questions, démarrez-les avec les mots suivants : qui, quoi, quand, où, pourquoi, comment. Ou encore, transformez les titres et les sous-titres en questions. Prenons un exemple d'un cours sur la démocratie. On y trouve deux sections :

– Démocratie représentative

– Démocratie directe

Vous pouvez simplement reformuler le tout sous forme de deux questions :

– Qu'est-ce qu'une démocratie représentative ?

– Qu'est-ce qu'une démocratie directe ?

On peut aussi reformuler ces deux questions dans une question de synthèse :

– Distinguez les deux types de démocratie.

Exemple d'une page de notes retravaillée

Annotations	Notes
Dater le début de la prise de notes.	**26 novembre**
	1. La définition
Numéroter les sections.	**1.1 Les composantes de la définition**
Formuler une question couvrant le contenu d'une partie des notes.	*Quelles sont les composantes de la définition (nommer et définir)?*
	Genre prochain: classe à laquelle appartient le mot.
	Différence spécifique: l'ensemble des concepts permettant de distinguer le mot des autres mots de la même classe.
Décaler les niveaux afin de faire apparaître la structure des notes.	*DF*
	1.2 Les 2 types de définition
	1.2.1 Définition étymologique
Ajouter un astérisque pour indiquer un point incompris.	*** Qu'est-ce que la définition étymologique?**
	Sens premier du terme.
	Thanatologie: «thanatos» mort, «logos» discours. Misanthrope: «misein» qui n'aime pas, «anthropos» homme.
Inscrire une abréviation identifiant une définition et un exemple.	*DF* *EX*
	Danger: le sens peut avoir évolué avec le temps. Exemple: psychologie: «psukhê» — âme, «logos» — discours. Science de l'âme → science de l'esprit.
Prendre en note les exemples.	**Très utile pour clarifier le sens d'un terme.**
Laisser un espace pour ajouter des notes ou des exemples de votre cru.	**1.2.2 Définition usuelle**
	DF **Sens habituel du défini, sens courant.**
	Dictionnaire usuel
	EX **Noir: couleur.**
Numéroter les pages.	**18**

EXERCICE

Retravaillez vos notes de cours de la semaine (astérisques, abréviations, exemples et formulation de questions).

Après un cours, idéalement le premier de la session, demandez à votre professeur de jeter un coup d'œil à vos notes. Cette consultation, en plus de créer un lien favorable et de démontrer votre intérêt, vous permettra de mieux départager l'essentiel de l'accessoire, tout en vous assurant que l'information importante ne manque pas.

Compléter vos notes à l'aide d'un glossaire

Le glossaire est un lexique d'un domaine spécialisé. On y retrouve les définitions des mots-clés qui lui sont propres. Comme toute théorie se construit à l'aide de concepts, il est primordial de bien les connaître et, surtout, de les comprendre. L'élaboration d'un glossaire pour chacun de vos cours contribue ainsi à vous assurer une bonne compréhension de la matière.

Glossaire

En construisant un glossaire, vous révisez vos notes de lecture et de cours tout en vous assurant que les notions principales sont bien ciblées et comprises. Si vous constatez un problème avec certains concepts, consultez un collègue de classe ou votre professeur.

Le glossaire se présente sous forme d'un tableau à trois colonnes : concept, définition, exemple. L'exemple est primordial. Si vous n'êtes pas en mesure d'en formuler un, c'est signe que vous ne maîtrisez pas la définition. S'il y a des cases vides, il faut les remplir. Vous pouvez alors prendre des mesures pour corriger la situation avant les évaluations.

p. 72

Définition

Reprenons l'exemple du cours sur la démocratie. Deux nouveaux concepts devraient apparaître dans le glossaire.

Concept	Définition	Exemple
Démocratie représentative (ou indirecte)	Type de régime politique où le pouvoir est remis à des représentants pour un temps limité.	Le système politique en vigueur au Québec.
Démocratie directe	Type de régime politique où le pouvoir est exercé par la population ou les membres d'un groupe.	Le système en vigueur dans une organisation étudiante.

Genre prochain
Différence spécifique

Il est possible aussi de détailler la définition en genre prochain et différence spécifique. Ce tableau plus détaillé favorise la compréhension de la définition.

Concept	Genre prochain	Différence spécifique	Exemple
Démocratie indirecte	Type de régime politique	où le pouvoir est remis à des représentants pour un temps limité.	Le système politique en vigueur au Québec.
Démocratie directe	Type de régime politique	où le pouvoir est exercé par la population ou les membres d'un groupe.	Le système en vigueur dans une organisation étudiante.

Vérifiez avec votre professeur s'il est possible de lui soumettre votre glossaire afin qu'il y jette un coup d'œil. S'il a été réalisé à l'aide d'un traitement de texte, il acceptera peut-être que vous le lui expédiiez par courriel. La plupart des enseignants se font toujours un devoir d'aider les étudiants qui s'investissent dans leurs études.

EXERCICE

Fabriquez un glossaire pour un de vos cours.

De bonnes notes de lecture et de cours impliquent une appropriation qui passe par une annotation et un surlignage précis et complets. En ce sens, on ne peut lire un document ou assister à un cours sans avoir des crayons et des surligneurs, des fiches ou des feuilles pour noter les propos de l'auteur ou du professeur. Ce travail de première ligne sera parachevé par le classement des fiches de lecture et par une révision des notes de cours afin de les compléter et de prendre les mesures nécessaires pour éclaircir les points incompris.

PENSE-BÊTE

Être actif
Ne lisez jamais un texte en détail sans l'annoter et le surligner.

Viser l'économie
Évitez le surlignage trop abondant.

Utiliser un crayon à mine
Sur vos fiches, écrivez le domaine, les descripteurs, le chapitre et le numéro au crayon à mine. Vous pourrez les modifier si le besoin s'en fait sentir.

Recourir à une astuce
Faites couper un paquet de feuilles 8 1/2 sur 11 en quatre. Deux avantages : les fiches ainsi obtenues sont moins coûteuses et moins volumineuses que les fiches de carton.

Réduire les sources de distractions
Éliminez les distractions pendant vos cours : amis, autre matière (lire le roman du cours de français dans un cours de mathématiques), cellulaire, etc.

Structurer vos notes
Utilisez les titres, les sous-titres et des numéros.

Élaborer des questions
Reformulez vos notes sous forme de questions.

Illustrer à l'aide d'exemples
Notez les exemples donnés en classe. Composez vos propres exemples.

S'entraider entre collègues
Échangez vos notes avec celles d'un collègue. Comparez ensuite les deux ensembles de notes. Discutez des points importants, des définitions, des exemples.

Relire vos notes
Lisez vos notes le plus rapidement possible après le cours.

Chapitre 6

Définir les concepts

LES QUATRE COMPOSANTES D'UNE DÉFINITION

LES ERREURS À ÉVITER

La définition circulaire

La définition par un exemple

La définition trop générale

La définition trop restreinte

PENSE-BÊTE

- Comprenez-vous toujours les définitions des concepts présentés dans vos cours ?

- Arrivez-vous à définir correctement les concepts ?

- Êtes-vous capable de mémoriser des définitions ?

Toute pensée s'exprime avec des mots. Ils sont la matière première de toute réflexion. Pourtant, ils sont souvent négligés. Cette constatation fort simple est encore plus vraie lorsqu'il s'agit de théories et d'explications, et ce, quel que soit le domaine dont elles relèvent : physique, philosophie, informatique ou administration. Les mots, dans ces contextes spécialisés, deviennent extrêmement importants. Il est impératif de bien les définir afin d'éviter toute confusion. Le but de ce chapitre est de présenter la technique de la définition ainsi que certaines erreurs à éviter.

LES QUATRE COMPOSANTES D'UNE DÉFINITION

Une définition comporte quatre composantes : le défini, le définissant, le genre prochain et la différence spécifique. Le fait de connaître les parties de la définition améliore leur compréhension et facilite leur construction. Nous utiliserons la définition suivante pour illustrer chacune d'elles.

Définition

Aristocratie : type de régime politique où le pouvoir appartient à quelques individus héréditairement liés.

- Le défini est la première partie de la définition. Le concept à définir se trouve à gauche des deux points. Dans notre exemple, « aristocratie » est le défini.

- Le définissant est la seconde partie de la définition. Il est constitué d'un ensemble de caractéristiques essentielles, nécessaires à la définition du concept. Le définissant se décortique en deux parties : le genre prochain et la différence spécifique. Ainsi, dans notre exemple, « type de régime politique où le pouvoir appartient à quelques individus héréditairement liés » représente le définissant.

Genre prochain

Différence spécifique

- Le genre prochain est la première partie du définissant. C'est l'ensemble des caractéristiques essentielles qui classent le concept, en indiquant de quel type d'objet il s'agit. Le genre prochain du définissant d'*aristocratie* est « type de régime politique ».

- La différence spécifique est la seconde partie du définissant. Elle est constituée d'un ensemble de caractéristiques essentielles servant à exprimer ce que le concept a en propre, autrement dit, ce qui le distingue des autres concepts de la même famille. La différence spécifique dans notre exemple est « où le pouvoir appartient à quelques individus héréditairement liés ».

La structure d'une définition peut se réduire à une phrase du type : X est un genre d'Y qui se distingue par Z (où X est le défini ; Y, le genre prochain, et Z, la différence spécifique).

Le tableau ci-dessous donne deux exemples supplémentaires.

Défini	Définissant	
	Genre prochain	Différence spécifique
Amour	Sentiment	d'attachement qui lie deux êtres, fondé sur la tendresse et l'attirance physique.
Homme	Primate	bipède presque entièrement dépourvu de poils, doué d'intelligence et d'un langage articulé.

Une bonne définition comporte toujours au moins un exemple qui vient compléter le définissant en illustrant le concept. Un exemple permet souvent d'affiner la compréhension du concept, à la fois pour celui qui élabore la définition et celui qui en prend connaissance.

Des définitions complètes et bien bâties deviennent par la suite le matériau de base des glossaires de vos cours et de vos lectures.

Une bonne définition comporte toujours au moins un exemple qui vient compléter le définissant en illustrant le concept.

Glossaire

Corrigé

EXERCICE

Pour chacune des définitions ci-dessous, soulignez le genre prochain et mettez la différence spécifique entre parenthèses. (Le corrigé est à la fin du chapitre.)

- Irroration : action d'exposer à un arrosement en pluie très fine.
- Rectangle : figure géométrique possédant quatre angles droits et dont les côtés sont égaux deux à deux.
- Fiasque : bouteille à col long et à large panse garnie de paille.
- Personne : être humain considéré quant à son apparence, à son aspect physique.
- Clepsydre : horloge à eau.

Ouvrez un dictionnaire usuel et lisez des définitions au hasard. Identifiez le genre prochain, la différence spécifique et l'exemple pour chacune d'entre elles.

Définissez les mots suivants en prenant soin d'identifier le genre prochain et la différence spécifique : avion, restaurant, automobile, racisme, violence. Puis, comparez vos définitions avec celles que vous trouverez dans un dictionnaire.

LES ERREURS À ÉVITER

Voici quatre types de définitions fautives assez fréquentes. Pour chacune de ces définitions, nous allons préciser en quoi consiste l'erreur, l'illustrer par un exemple et expliquer comment la corriger.

La définition circulaire

La définition circulaire est une faute assez courante : le défini apparaît dans le définissant.

Exemple :

» Démocratie : type de régime politique démocratique.

Le mot « démocratique » se retrouve dans le définissant.

Pour régler le problème, il faut remplacer le mot qui apparaît dans le définissant par sa définition ou un synonyme.

Correction :

» Démocratie : type de régime politique où le peuple détient le pouvoir.

La définition par un exemple

Il arrive parfois que le définissant se limite à un exemple, les caractéristiques essentielles du concept à définir n'étant pas établies.

Exemple :

» Jazz fusion : musique du groupe Weather Report.

Il suffit de reprendre la définition en y incluant le genre prochain et la différence spécifique.

Correction :

» Jazz fusion : type de musique de jazz qui combine des arrangements de type jazz à des arrangements provenant de la musique rock.

La définition trop générale

Une définition doit englober tous les objets qui peuvent être étiquetés avec le concept. Dans certaines circonstances, le définissant est trop large : des objets qui ne sont pas des exemples du concept possèdent malgré tout les caractéristiques énumérées dans le définissant.

Exemple :

» Philosophie : discours inventé en Grèce au 5e siècle av. J.-C.

Le théâtre dramatique est aussi un discours inventé en Grèce au 5e siècle av. J.-C., mais ce n'est pas de la philosophie. La définition est donc trop large parce qu'elle inclut un élément qui n'en fait pas partie.

Pour corriger cette définition, il faut alors ajouter des caractéristiques afin de réduire la portée du définissant.

Correction :

▪ Philosophie : discours inventé en Grèce au 5e siècle av. J.-C. Ensemble des études, des recherches visant à réfléchir sur les êtres, les causes premières et les valeurs humaines envisagées au niveau le plus général.

La définition trop restreinte

La définition trop restreinte est l'envers de la définition trop générale : elle est trop restrictive, et certains objets qui sont effectivement des exemples du concept ne possèdent pas une ou plusieurs des caractéristiques établies dans le définissant.

Exemple :

▪ Chaise : meuble avec un dossier et quatre pattes, qui sert à s'asseoir.

Ma chaise de bureau a cinq pattes. Or, il est stipulé dans le définissant qu'une chaise a quatre pattes. Je n'aurais donc pas le droit de l'appeler « chaise ».

Il suffit de modifier le libellé de certaines caractéristiques ou encore d'en enlever.

▪ Chaise : meuble avec un dossier et des pattes, qui sert à s'asseoir.

Il a suffi d'enlever le chiffre « quatre » pour rectifier l'erreur. Évidemment, ce n'est pas toujours aussi simple...

Rendez-vous sur le site Internet et faites le test objectif « Identifier le type des définitions fautives ».

Identifier le type
des définitions fautives

Tout savoir requiert de la précision. Très souvent, avant de partager ses connaissances, un auteur ou un chercheur commence par définir son vocabulaire. Si les mots sont les fondements de la pensée, mieux les connaître, c'est mieux penser. Aussi, bien circonscrire les concepts et les notions que vous apprenez dans vos études vous aidera non seulement à comprendre et à retenir l'information, mais également à développer votre créativité intellectuelle.

Corrigé de l'exercice

- Irroration : <u>action d'exposer à un arrosement</u> (en pluie très fine).
- Rectangle : <u>figure géométrique</u> (possédant quatre angles droits et dont les côtés sont égaux deux à deux).
- Fiasque : <u>bouteille</u> (à col long et à large panse garnie de paille).
- Personne : <u>être humain</u> (considéré quant à son apparence, à son aspect physique).
- Clepsydre : <u>horloge</u> (à eau).

Déceler les concepts clés

Recensez les concepts clés de chacune de vos lectures et de vos notes de cours.

Élaborer des définitions complètes

Assurez-vous que vos définitions sont toujours complètes (genre prochain, différence spécifique et exemple).

Construire des glossaires

Bâtissez des glossaires pour chacun de vos cours.

Rechercher

- Vous semble-t-il que vos recherches vous rapportent peu, en comparaison du temps investi?

- Allez-vous à la bibliothèque?

- Savez-vous comment trouver une référence ou des documents dans une bibliothèque?

- Êtes-vous submergé par la quantité de renseignements que vous trouvez dans Internet?

- Savez-vous comment vous assurer de la qualité des données que vous glanez dans Internet?

On estime que le patrimoine de connaissances détenues par l'humanité a doublé depuis la fin de la dernière décennie. Dans ce contexte, la recherche de renseignements peut paraître une tâche ardue. En réalité, avec de bons outils et de bonnes méthodes, ce formidable accroissement du savoir devient le garant de recherches fécondes.

À condition de respecter certains principes de base, vous pouvez trouver de l'information et des documents à partir de deux sources principales : la bibliothèque et Internet.

FAIRE UNE RECHERCHE EN BIBLIOTHÈQUE

Depuis fort longtemps, les bibliothèques représentent les temples traditionnels du savoir. Elles sont les dépositaires d'une multitude de documents :

- Livres
- Périodiques
- Journaux
- Ouvrages de référence (dictionnaire usuel, dictionnaire spécialisé, encyclopédie, atlas, bibliographie, annuaire des personnalités [aussi connu sous son titre anglais *Who's Who*])
- Documents audiovisuels (DVD, CD, diapositives, films, etc.)
- Cartes géographiques
- Publications gouvernementales

On y propose aussi différents services comme le prêt entre bibliothèques ou de l'aide pour la recherche documentaire. N'hésitez pas à consulter votre bibliothécaire, qui se fera un plaisir de vous guider. Par ailleurs, beaucoup de bibliothèques scolaires offrent des formations sur les méthodes de recherche.

Pour effectuer une recherche efficace dans une bibliothèque, il faut utiliser les index et les systèmes de classement, parcourir les ouvrages que votre investigation a mis en évidence et en évaluer la qualité.

Consulter les index

Chaque document de la bibliothèque est décrit à l'aide de plusieurs rubriques : cote, titre, auteur, éditeur, année d'édition, collection, nombre de pages, description physique, type de document, support (livre, DVD, etc.), liste de mots-clés, disponibilité, etc. Tous ces renseignements sont rassemblés dans les index.

Aujourd'hui, la plupart des bibliothèques sont informatisées et les anciens index sur fiches cartonnées ont tendance à disparaître. Cela dit, ils sont encore utilisés dans certaines bibliothèques, notamment pour ficher les documents acquis depuis longtemps.

L'informatisation des index procure un grand avantage : on peut effectuer des recherches d'après différents types de rubriques, utiliser des mots-clés et conserver une trace des recherches précédentes.

Plusieurs bibliothèques sont accessibles par Internet. Vous pouvez y faire des recherches sans avoir à vous déplacer. Pourquoi ne pas visiter les sites de la bibliothèque de votre ville, de votre établissement d'enseignement ou encore de la Bibliothèque nationale du Québec ?

EXERCICE

À l'aide d'un moteur de recherche ou d'un répertoire, visitez les sites des bibliothèques :
- De votre maison d'enseignement
- De votre municipalité
- D'une université
- De l'Organisation des Nations Unies (ONU)

Déchiffrer les systèmes de classement

Dans une bibliothèque, les livres reçoivent une cote avant d'être déposés sur les étagères. Il existe deux systèmes de classement : Dewey, ancien mais encore utilisé, et Bibliothèque du Congrès, plus récent[1]. Ainsi, *Le Prince*, de Nicolas Machiavel, sera coté de deux façons différentes :
- Dewey : 195 M149p Fa
- Bibliothèque du Congrès : C143M39.1997

Dewey

Le système Dewey attribue un premier nombre de trois chiffres. Chaque centaine correspond à un champ du savoir, les dizaines servent de subdivisions. Il y a 10 grandes divisions. À titre d'illustration, voici quelques exemples.

---

1. Certaines bibliothèques grand public classent les romans par ordre alphabétique en leur attribuant les trois premières lettres du nom de l'auteur.

```
000  Ouvrages généraux
      010  Bibliographies
      030  Encyclopédies
100  Philosophie, psychologie et parapsychologie
      150  Philosophie
      160  Logique
```

Bibliothèque du Congrès

Le deuxième système dispose d'un plus grand nombre de catégories, puisqu'il repose sur les 26 lettres de l'alphabet. Il comporte donc 26 grandes divisions, au lieu de 10 pour Dewey. Voici quelques exemples:

A-AZ Ouvrages généraux
B-BD Philosophie générale
BF Psychologie
C-CT Histoire (science de l'histoire)

Parcourir les documents

La cote d'un ouvrage permet de le localiser facilement sur les tablettes ou de s'adresser au personnel de la bibliothèque pour l'obtenir s'il s'agit d'un document audiovisuel. En général, les cotes sont annoncées sur les extrémités des rayonnages (par exemple : 324–360).

Ce système vous permet de faire du repérage dans la bibliothèque! En effet, une cote, qu'elle soit prometteuse ou non, vous dirige vers une section contenant une foule de documents peut-être plus pertinents que ceux correspondants à votre premier échantillonnage. Comme les livres sont classés par sujets, vous pouvez avoir accès avec une seule référence à tous les ouvrages traitant d'un même thème, sans avoir à effectuer de nouvelles recherches dans le catalogue. Laissez-vous guider par la cote. Feuilletez les livres qui se trouvent sur la même tablette, sur celle du dessus et du dessous. Faites le tri de vos sources sur place. Promenez-vous dans la bibliothèque. À tout coup, vous ferez des découvertes surprenantes et enrichissantes.

Laissez-vous guider par la cote.

Évaluer la qualité de l'information

La question de la qualité de l'information se pose aussi dans une bibliothèque, mais dans une moindre mesure qu'avec Internet. En effet, plusieurs personnes qualifiées valident les acquisitions. Cependant, il faut tout de même demeurer vigilant. Ce n'est pas parce qu'un ouvrage est publié qu'il contient l'information la plus à jour et la moins remise en cause. Lorsque cela est possible, tâchez de trouver des documents récents et écrits par des auteurs reconnus.

Recherchez les cotes des ouvrages ci-dessous dans la bibliothèque de votre établissement. Puis, localisez le document sur les rayons de la bibliothèque et repérez les ouvrages voisins.

- Platon. *Le banquet*.
- J. Laplanche et J. B. Pontalis. *Vocabulaire de la psychanalyse*.
- Le grand Atlas du Canada et du Monde.
- Un article au choix de la revue *Science & Vie*.

FAIRE UNE RECHERCHE DANS INTERNET

Internet ressemble à une immense bibliothèque où l'on trouve de tout : textes, images, vidéo, etc., mais dont la qualité varie du meilleur au pire. C'est un univers de rapidité, de simultanéité et de changement. Les pages naissent et meurent à un rythme débridé. L'information peut devenir rapidement obsolète. Dans ces conditions, il est important de choisir ses sources et de trouver des sites « trieurs d'information », des veilles d'information et des sites spécialisés qui peuvent vous tenir au courant des derniers développements sur un sujet. Il s'agit d'un bon point de départ pour vos recherches. Selon les cours, les professeurs peuvent vous aiguiller vers des ressources éprouvées.

Selon les cours, les professeurs peuvent vous aiguiller vers des ressources éprouvées.

Comme vous le verrez, le point essentiel est de bien définir son sujet afin de mieux cibler sa recherche et de repérer rapidement des documents pertinents, tout en restant critique quant à la qualité de l'information que vous recueillez.

Sélectionner vos outils de recherche

Si vous n'avez aucune adresse spécifique à visiter, utilisez des outils de recherche. Ils sont un passage obligé lorsque vient le temps de naviguer sur Internet. Ils affichent les liens vers des pages Internet qui correspondent à votre requête. Il en existe deux types : les moteurs et les répertoires. À vous de choisir le type d'outil qui sied à votre recherche.

- Le moteur de recherche (comme celui de Google) donne accès indistinctement à l'ensemble des sites présents sur le Web et qui sont accessibles par lien hypertexte.

▪ Le répertoire (par exemple Yahoo!) présente de l'information colligée et sélectionnée à partir de critères précis. La recherche ne s'effectue que dans la liste des sites recensés.

Toutes les recherches s'effectuent par mots-clés. Par exemple, vous vous efforcez de trouver une définition de « parc provincial » ainsi que la législation québécoise concernant les parcs. Tapez alors l'expression dans un moteur de recherche. Puis, repérez l'adresse du site gouvernemental québécois concernant les parcs (Société des établissements de plein air du Québec). Vous y découvrirez à la fois une définition et les lois que vous cherchiez.

Raffiner votre recherche

Cela n'est pas toujours aussi simple. Très souvent, votre recherche récolte une énorme quantité de sites, les renseignements espérés s'y trouvent noyés et sont difficilement repérables ou, encore, plusieurs d'entre eux ne sont manifestement pas pertinents pour votre enquête.

Affinez alors votre fouille : utilisez des synonymes, des expressions, ajoutez des mots afin de restreindre l'étendue de la cueillette ou de diversifier vos sources. Dans l'exemple précédent, si vous aviez tapé uniquement « parc », votre recherche n'aurait pas été suffisamment ciblée et aurait produit quantité de sites n'ayant aucun lien avec votre sujet. En adjoignant « provincial », vous obtenez déjà une liste de sites plus appropriés à votre enquête. La pertinence des résultats augmente avec votre précision. Vous pouvez également limiter votre recherche à un pays, une langue, une date ou une expression exacte, en la mettant entre guillemets.

La pertinence des résultats augmente avec votre précision.

Une autre solution consiste à opter pour la recherche avancée. La plupart des moteurs et des répertoires offrent cette option. Elle repose sur l'utilisation d'opérateurs logiques (« et », « ou », « sauf », « tout », etc.) et de critères de filtrage variés (langue, pays, date, emplacement, etc.). À vous d'explorer ces possibilités en fonction de vos besoins.

Finalement, il est également possible de changer de moteur ou de répertoire afin d'obtenir une nouvelle palette de résultats pour une même recherche.

Évaluer la qualité de l'information

Restez prudent lorsque vous effectuez une recherche dans Internet. Spontanément, la plupart des gens considèrent comme véridiques les renseignements qu'ils y glanent. Comme tout un chacun peut facilement publier une page Web, rien ne garantit la qualité et l'exactitude des renseignements disponibles en ligne. Ils peuvent s'avérer faux ou truqués plus ou moins subtilement. Ainsi, les groupements, les institutions privées et les individus tendent à présenter de l'information pour convaincre et non pas dans un esprit scientifique, pédagogique ou journalistique. Par exemple, les sites des associations pour la libéralisation du port d'arme et ceux qui s'y opposent auront tendance, chacun de leur côté, à mettre de l'avant des arguments en leur faveur tout en passant sous silence ceux du camp adverse.

Aussi, renseignez-vous sur l'institution ou la personne qui publie la page Web: sont-elles nommées sur le site? Reconnues? Neutres? Défendent-elles des intérêts ou des positions? Il est clair que les études sur un produit particulier réalisées par les fabricants risquent d'être biaisées. Il serait préférable dans ce cas de rechercher une source indépendante.

Les sites des grandes organisations comme les gouvernements, les universités, les organismes connus (ONU, Organisation internationale de la Francophonie, UNESCO, Banque mondiale, etc.) représentent, en général, des sources fiables d'information. Il existe également des journaux et des revues spécialisées en ligne qui ont atteint une grande notoriété dans nombre de domaines.

EXERCICE

Faites une liste des répertoires et des moteurs de recherche que vous utilisez le plus souvent et comparez leurs fonctions de recherche avancée.

Testez-les avec une requête concernant un travail scolaire.

PRINCIPES GÉNÉRAUX

Quelle que soit la source consultée, bibliothèque ou Internet, quelques règles simples s'imposent dans vos recherches.

- Ne vous limitez pas à une seule source d'information, exploitez les ressources des bibliothèques et d'Internet, elles sont complémentaires.

- Prenez toujours en note la référence exacte des documents consultés, même si vous ne prenez pas de notes sur le coup. Vous serez ainsi en mesure de les retracer facilement.

p. 128

Référence

Citation

- Respectez les droits d'auteur : vous avez le droit de citer, mais en respectant les conventions régissant l'emploi des citations.

- Traitez avec soin et respect les documents que vous consultez, ils ne vous appartiennent pas. Les lecteurs suivants vous en sauront gré.

- Ne vous laissez pas abuser par l'âge d'un document : un texte vieux de 20 ans peut être désuet, alors qu'un autre de 100 ans se révélera encore pertinent.

Que ce soit dans une bibliothèque ou dans Internet, une recherche rigoureuse implique la maîtrise des outils particuliers propres à chaque source d'information, comme les index, les systèmes de classement ou les moteurs et les répertoires. De plus, il faut s'assurer de demeurer critique quant à l'information qu'on peut y recueillir. À vous d'exploiter intelligemment ces mines de renseignements !

Multiplier les sources d'information

Ne vous en tenez pas à une seule source d'information (Internet ou bibliothèque).

Noter les références

Prenez toujours en note la référence des ouvrages ou sites que vous avez consultés.

Demander conseil à votre bibliothécaire

Faites appel aux bibliothécaires : ce sont des aides précieuses qui connaissent leur bibliothèque à fond.

Clarifier votre sujet

La pertinence des résultats de vos recherches augmente avec la précision de votre requête.

Varier les termes de votre recherche

Peaufinez vos recherches à l'aide de synonymes ou utilisez des séquences de plusieurs mots.

Veiller à la qualité de l'information recueillie

Assurez-vous de la qualité des renseignements que vous recueillez, en particulier dans Internet. Utilisez votre sens critique.

PARTIE 3

TRANSMETTRE L'INFORMATION

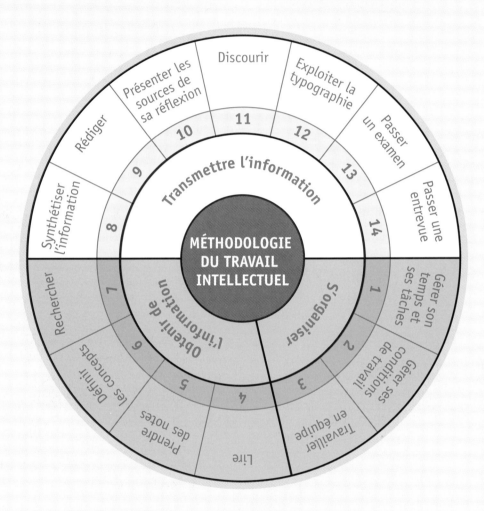

Communiquer, c'est faire connaître. Or, toute notre vie se passe sous le signe de la communication. Nous parlons avec des personnes et, ce faisant, nous leur transmettons toutes sortes de renseignements objectifs et subjectifs : faits, sentiments, états d'âme, etc.

Dans le contexte scolaire, comme dans le milieu de travail, communiquer consiste essentiellement à transmettre de l'information écrite ou verbale, à rendre compte de notre compréhension de la matière dans un examen ou à tenter d'obtenir un poste convoité lors d'une entrevue. Toutes ces démarches exigent de bonnes méthodes de travail afin d'être couronnées de succès.

Synthétiser l'information

- Arrivez-vous à mettre de l'ordre dans l'information colligée ?

- Bâtissez-vous rarement une vue d'ensemble des données et des faits ?

- Éprouvez-vous de la difficulté à comparer des objets (similitudes, différences) ?

Quoique cela soit difficile, il est important de savoir structurer l'information, qu'elle se présente sous une forme linéaire (dans un exposé oral ou dans un texte) ou sous une forme moins ordonnée (lecture de plusieurs documents). L'organisation de l'information est essentielle, car elle permet de repérer les liens entre les éléments d'une question, d'avoir une vue d'ensemble et d'élaborer une synthèse.

Il existe trois outils pour réaliser cette tâche : le tableau d'information, le schéma et le graphique. Si les deux premiers conviennent bien à l'information de type qualitative, le graphique se prête mieux à la synthèse de l'information de type quantitative.

Modèle d'analyse

L'usage de ces éléments graphiques facilite la réflexion et la rédaction d'un travail en fournissant un modèle d'analyse de l'information. De plus, ces éléments peuvent être intégrés à vos documents écrits et audiovisuels. On peut les dessiner à main levée, l'important étant d'élaborer la vue d'ensemble. Cependant, vous auriez intérêt à utiliser des logiciels pour les mettre au propre si vous devez les incorporer dans un texte ou une présentation orale.

Tableau d'information

TABLEAU D'INFORMATION

Le tableau est un outil idéal lorsqu'il s'agit de comparer des objets, de quelque nature qu'ils soient.

Principes généraux

Le principe de base est assez simple : il s'agit de définir des descripteurs (critères) qui permettront de détailler chacun des objets de façon systématique et cohérente. La nature de ces descripteurs varie selon le type des objets comparés.

Ce portrait peut être qualitatif ou quantitatif. Dans ce dernier cas, on optera la plupart du temps pour une échelle numérique.

Les critères peuvent se classer par ordre d'importance en leur accordant plus ou moins de points. Par exemple, certains critères seront cotés sur 10, d'autres sur 7 ou 5, etc.

En général, les objets comparés constituent les colonnes et les descripteurs, les rangées. Cela dit, ce n'est pas une règle absolue, il est toujours possible d'inverser les rangées et les colonnes.

Types de tableaux

Un tableau peut être à deux ou à trois dimensions. Il en existe donc deux types : à double ou à triple entrée.

Tableau à double entrée

Le tableau à double entrée est à deux dimensions : des rangées et des colonnes.

Tableau à double entrée

En voici deux exemples, le premier donnant lieu à une description quantitative et le second, à une description qualitative.

▪ *Premier exemple : une description quantitative – comparaison de véhicules automobiles*

Vous voulez acheter une automobile. Vous avez déjà déterminé une catégorie de véhicules et vous hésitez entre trois modèles (A, B et C). Afin de pouvoir les comparer, il faut, en premier lieu, établir une liste de critères : confort, esthétique, cylindrée, plaisir de conduite, consommation d'essence, habitabilité, fiabilité, entretien. Ensuite, il suffit de décrire chacun des véhicules pour chacun des descripteurs. Dans cet exemple, la valeur attribuée aux critères reflète l'importance que vous leur attribuez.

		Modèle A	Modèle B	Modèle C
Confort	/20			
Esthétique	/20			
Cylindrée	/15			
Plaisir conduite	/15			
Cons. essence	/10			
Habitabilité	/10			
Fiabilité	/5			
Entretien	/5			
TOTAL	/100			

▪ *Deuxième exemple : une description qualitative – comparaison de conceptions philosophiques de l'être humain*

Vous devez comparer trois conceptions philosophiques de l'être humain. Cinq thématiques se dégagent lors de vos lectures : la liberté, le déterminisme, l'égalité, l'âme et la raison. Ce seront vos descripteurs.

Il suffira donc de remplir chaque case avec l'idée maîtresse de chaque philosophe. Il est toujours possible qu'un penseur ne se prononce pas sur un thème. Il faut alors l'indiquer dans la case correspondante, car omettre une thématique constitue en soi une caractéristique du philosophe.

	Descartes	Rousseau	Nietzsche
Liberté			
Déterminisme			
Égalité			
Âme			
Raison			

Tableau à triple entrée

Il est aussi possible de construire un tableau à triple entrée. Le papier ne se prête évidemment pas à ce type de représentation, mais l'ordinateur permet d'y remédier. L'ajout de cette troisième dimension vise à étoffer le contenu de chacune des cases.

En effet, les chiffriers offrent la possibilité d'associer un commentaire à chaque cellule. Il suffit ensuite de pointer une case pour le faire apparaître. Même si vous ne voyez pas tous les renseignements d'un seul coup d'œil, vous ferez un travail de réflexion très utile en vous exerçant à élaborer des définitions et à imaginer des exemples qui compléteront les cellules. Les glossaires que vous avez élaborés serviront de compléments essentiels aux tableaux à double ou à triple entrée.

Glossaire

Tableau d'information à triple entrée

Un exemple partiel de ce type de tableau est disponible sur le site Internet de l'ouvrage.

EXERCICE

Construisez un tableau à double entrée pour les deux textes ci-après.

Exercice 1. Les différents types de consommateurs de nouveaux produits

Quel que soit le domaine, informatique, automobile, mode, etc., l'attitude des consommateurs diffère vis-à-vis des nouveaux produits.

Certaines personnes sont toujours prêtes à acheter le produit dès son lancement, alors que d'autres préfèrent attendre pour voir si cela en vaut la peine.

Devant cette réalité, il est possible de classer les consommateurs en fonction du rythme d'adhésion aux nouveaux produits. Cette classification comprend cinq catégories.

- Les innovateurs : ce sont les premiers à se précipiter pour acheter la dernière nouveauté. Ils représentent 2,5 % de la population.
- Les hâtifs : un peu plus nombreux, soit 13,5 %, ils suivent de peu les innovateurs.
- La majorité précoce : le produit étant déjà assez bien connu, elle peut se lancer dans son achat. Elle compte pour 34 % de la population.
- La majorité avancée : plus timorée, elle n'embarque dans le train de la nouveauté que lorsque beaucoup de gens se sont déjà laissé tenter. Elle constitue 34 % des acheteurs.
- Les traînards : très précautionneux, ils sont les derniers à faire l'acquisition du nouveau produit, qui ne l'est plus vraiment. Ils ferment la marche avec 16 % des acheteurs.

Il est possible aussi de déterminer des caractéristiques psychologiques dominantes pour chacune de ces catégories.

- Les innovateurs : ils ont le goût du risque, de l'inattendu. Ils ont de multiples centres d'intérêt.
- Les hâtifs : ce sont des meneurs. Tout en étant attirés par la nouveauté, ils affichent une certaine prudence.
- La majorité précoce : c'est après mûre réflexion que ces personnes acquièrent un nouveau produit. Ce sont rarement des meneurs.
- La majorité avancée : méfiante, elle ne se laisse convaincre que par le poids de l'opinion.
- Les traînards : ils défendent les coutumes et les traditions. La nouveauté leur fait peur.

Exercice 2. Les primates

Les primates se scindent en trois grands groupes : les anthropoïdes, les singes et les prosimiens.

Les anthropoïdes se caractérisent par de grandes habiletés langagières, qui peuvent aller jusqu'à la maîtrise d'un langage gestuel simple. De tous les primates, ce sont eux qui possèdent les plus gros cerveaux et ils se distinguent par une longue période d'apprentissage avant d'atteindre la maturité. Ils se démarquent des autres primates par l'absence de queue. Enfin, ils se divisent en deux sous-groupes : les gorilles et les chimpanzés.

Les singes vivent exclusivement dans le haut des arbres, se protégeant ainsi des prédateurs. On les trouve dans tous les types d'habitat terrestre. Ils se divisent en deux sous-groupes : les marmousets et les hurleurs.

Les prosimiens affichent la plus petite taille chez les primates. Ce sont principalement des animaux nocturnes. De plus, ils comptent essentiellement sur leur odorat pour chasser. Ils se répartissent en deux sous-groupes : les lémuriens et les loris.

———————
Les corrigés sont disponibles à la fin du chapitre.

Corrigé

SCHÉMA

Schéma

Le schéma se présente sous une multitude d'aspects, sa forme variant en fonction de l'information à organiser. Au-delà des différences, il s'agit de construire une représentation visuelle des liens existant entre des notions, des concepts, des théories ou des renseignements. Ces représentations se révèlent très utiles pour développer une vue d'ensemble et synthétiser l'information.

Principes généraux

Utilisez des couleurs et des formes, des icônes ou des dessins afin de mettre en évidence les similitudes et les différences, les regroupements et les niveaux d'organisation.

Ne perdez pas de vue qu'il s'agit d'une synthèse : les renseignements doivent rester succincts. Vos glossaires compléteront avantageusement ces schémas.

Types de schémas

Il existe trois catégories principales de schémas : arborescence, réseau et processus. Les exemples présentés dans cet ouvrage n'épuisent pas toutes les possibilités offertes par le schéma, loin de là. À vous de laisser s'exprimer votre imagination et de les combiner selon vos objectifs et vos travaux.

Arborescence

L'organigramme constitue l'exemple type de la catégorie de l'arborescence. Il permet de visualiser les relations ou liens entre des éléments d'une même famille ou les étapes d'un cheminement. Voici quelques exemples.

Les concepts, organisés en familles, peuvent être présentés sous forme d'une échelle de généralité qui ira du plus général vers le plus spécifique. Ces familles gagnent à être illustrées à l'aide d'un schéma qui fera apparaître les niveaux et les relations. Cela facilitera ainsi la compréhension des différents concepts.

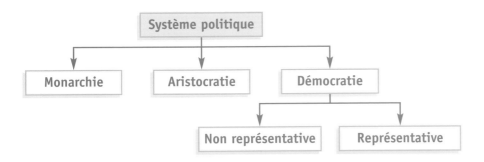

Par ailleurs, certaines problématiques entraînent des débats qui ne peuvent être tranchés de façon définitive. Lorsqu'on aborde des questions aussi controversées que l'avortement ou l'euthanasie, il est assuré que les réponses seront très divergentes. L'information est plus complexe et donc plus difficile à traiter. Aussi, nous vous proposons ci-dessous un schéma général, puis un exemple d'application concrète. Dans l'exemple donné, nous avons choisi le problème de l'avortement et simplifié les arguments dans l'intérêt de la démonstration.

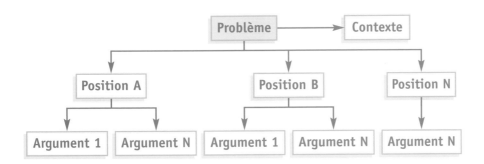

Les « N » dans les cases indiquent un nombre indéterminé. En effet, on ne peut prévoir le nombre d'arguments pouvant soutenir une position.

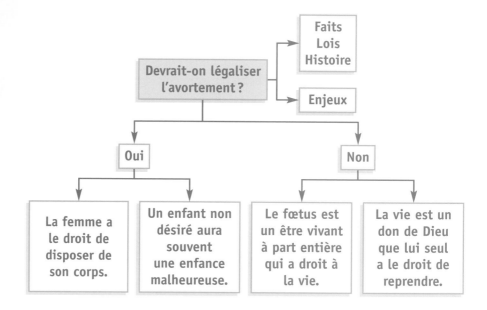

Il est possible aussi d'analyser une problématique en déterminant les avantages et les désavantages propres à chaque position.

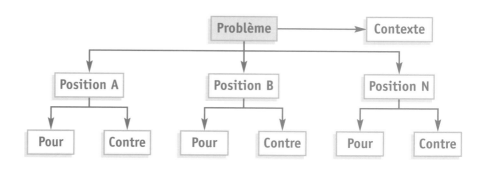

Dans un domaine comme la gestion, il est fréquent de faire des analyses coûts-bénéfices qui serviront à établir les avantages et les désavantages de différents scénarios afin de choisir le meilleur.

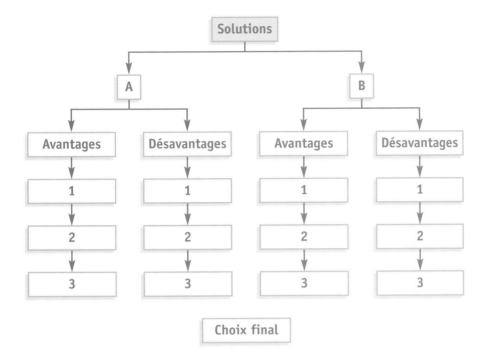

Réseau

Le type de schéma en réseau met en lumière les multiples facettes d'un objet. Il n'y a pas d'ordre linéaire, mais plutôt un déploiement des idées. Une image ne vaut-elle pas mille mots ? Voici donc quelques images...

Les périodes historiques se caractérisent par de grands secteurs qui peuvent être visualisés sous forme d'un schéma.

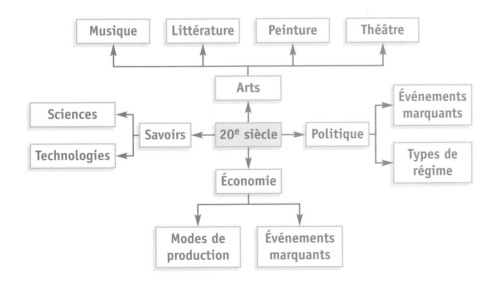

En science politique, on cherche souvent à caractériser un État ou un gouvernement. Là encore, le schéma vient à notre aide en nous permettant de regrouper l'information et de la visualiser dans son ensemble.

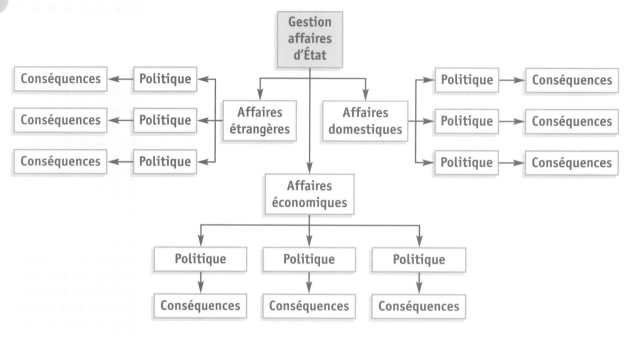

Il est possible aussi de construire un schéma plus complexe qui ne comporte pas de centre et caractérise plus d'un objet. Voici un exemple qui cherche à faire ressortir les différences et les similitudes entre deux objets.

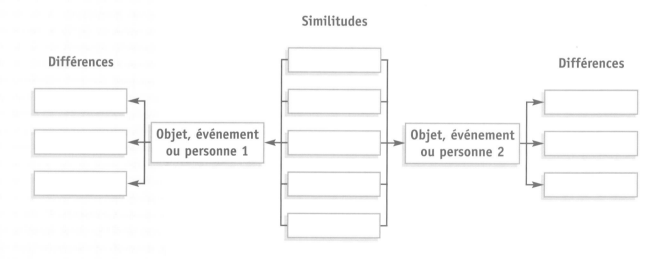

Processus

Dans le genre de schéma en processus, on veut faire ressortir une idée de flux et d'échanges. On cherche à saisir une dynamique, plutôt qu'à faire le portrait d'un système à un moment donné, comme avec un schéma en réseau. Voici deux illustrations d'un schéma du type processus.

1. Les échanges de carbone sur Terre obéissent à certaines règles.

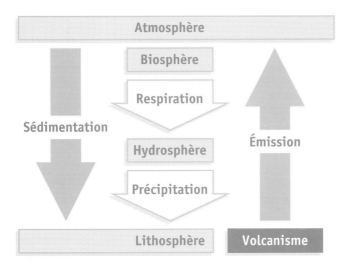

2. Dans une économie capitaliste, la circulation de l'argent suit certains courants.

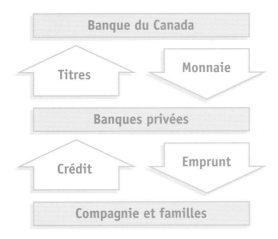

EXERCICE

Faites un schéma qui synthétisera l'information fournie dans chacun des deux exercices suivants. Inspirez-vous des exemples présentés précédemment afin de choisir les schémas les plus appropriés à l'information.

Exercice 1. Les composantes de la définition

Une définition comporte quatre composantes : le défini, le définissant, le genre prochain et la différence spécifique. La définition proposée ci-dessous illustre chacune de ces composantes.

Pomme : fruit, rond, à pépins, à pulpe ferme et juteuse.

Le défini est la première partie de la définition, c'est le concept à définir. C'est le terme qui se trouve à gauche des deux points. Dans notre exemple de départ, « pomme » est le défini.

Le définissant est la seconde partie de la définition. Il consiste dans l'ensemble des attributs essentiels nécessaires pour définir le concept. Dans notre exemple, « fruit, rond, à pépins, à pulpe ferme et juteuse » représente le définissant. Le définissant se décompose lui-même en deux parties : le genre prochain et la différence spécifique. Le genre prochain est la première partie du définissant. Il est constitué des attributs essentiels qui, en classifiant le défini, nous révèle le genre de concept. En fait, sur une échelle de généralité, ce concept se situe immédiatement au-dessus du concept à définir. Le genre prochain du définissant de « pomme » est « fruit ».

La différence spécifique est la seconde partie du définissant. Elle est constituée d'un ensemble de caractéristiques essentielles servant à exprimer ce que le concept a en propre, autrement dit, ce qui le distingue des autres concepts de la même famille. Finalement, « rond, à pépins, à pulpe ferme et juteuse » sont les attributs essentiels qui composent la différence spécifique de notre exemple.

Exercice 2. Les primates

Reprenez le texte de la page 93.

Corrigé

Les corrigés sont disponibles à la fin du chapitre.

GRAPHIQUE

Les graphiques permettent de visualiser des nombres : de réunir, de comparer ou de suivre un ensemble de données dans le temps.

Graphique

Principes généraux

Différents éléments constitutifs forment les graphiques : un titre, deux ou trois axes (selon que le graphique est à deux ou à trois dimensions), les données, des valeurs et des catégories. L'exemple ci-dessous illustre ces différents éléments.

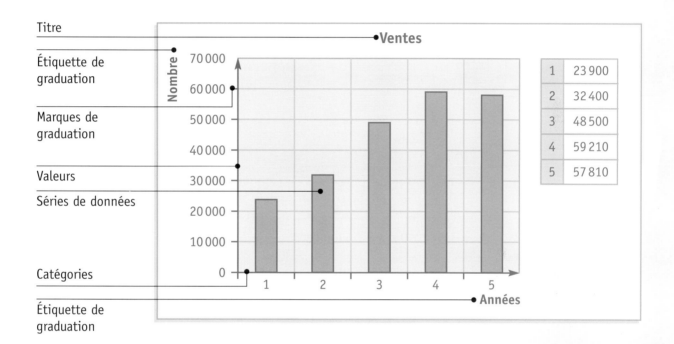

Types de graphiques

Il existe différents types de graphique, chacun correspondant à un besoin précis. Il s'agit de les connaître afin de choisir le bon. Nous aborderons ici les quatre principaux.

Évolution

Le graphique de type évolution se présente sous la forme d'une surface, d'une courbe, de colonnes ou encore d'une combinaison des deux dernières. Comme son nom l'indique, il permet de suivre des variations dans le temps.

Exemple pour le graphique d'évolution

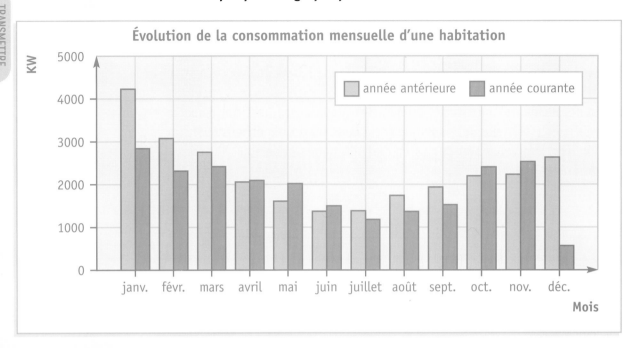

Images

Le graphique de type images est une variante du type évolution. On remplace les colonnes par des images illustrant le propos. Par exemple, l'évolution de la demande de pétrole dans le monde peut être représentée par des barils plutôt que par des colonnes.

Exemple pour le graphique en images

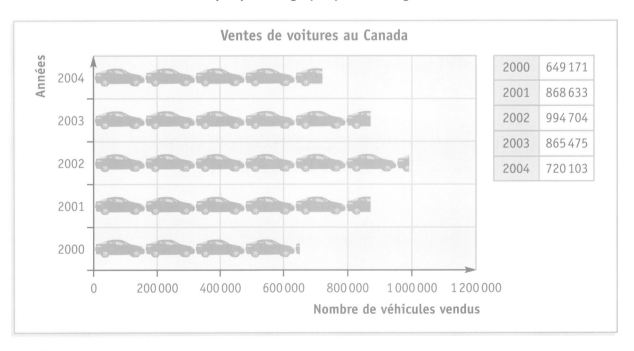

Tarte

Le graphique en forme de tarte, très visuel, est dessiné en deux ou trois dimensions. C'est un cercle découpé en secteurs, qu'on peut décaler afin de les mettre en évidence. Les pourcentages relatifs ainsi qu'une description du contenu apparaissent à côté de chacun des secteurs. C'est l'outil idéal pour symboliser des proportions entre différentes composantes d'un tout.

Exemple pour le graphique en forme de tarte

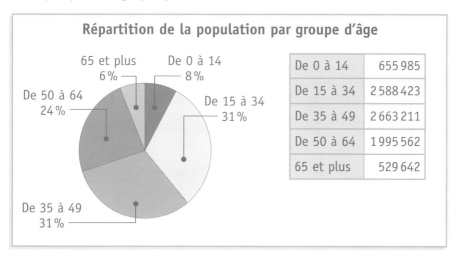

Répartition de la population par groupe d'âge

De 0 à 14	655 985
De 15 à 34	2 588 423
De 35 à 49	2 663 211
De 50 à 64	1 995 562
65 et plus	529 642

Répartition

Essentiellement, le graphique de type répartition apparaît sous forme de colonnes, en deux ou trois dimensions. Ce graphique rend compte de la distribution de différentes catégories.

Exemple pour le graphique répartition

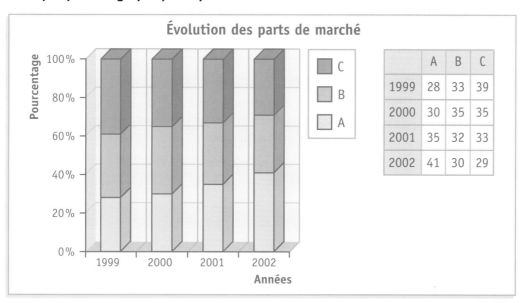

Évolution des parts de marché

	A	B	C
1999	28	33	39
2000	30	35	35
2001	35	32	33
2002	41	30	29

EXERCICE

Construisez deux graphiques de types différents à partir des données apparaissant dans l'extrait suivant, tiré du texte *Les différents types de consommateurs de nouveaux produits*.

Devant cette réalité, il est possible de classer les consommateurs en fonction du rythme d'adhésion aux nouveaux produits. Cette classification comprend cinq catégories.

- Les innovateurs : ce sont les premiers à se précipiter pour acheter la dernière nouveauté. Ils représentent 2,5 % de la population.

- Les hâtifs : un peu plus nombreux, soit 13,5 %, ils suivent de peu les innovateurs.

- La majorité précoce : le produit étant déjà assez bien connu, elle peut se lancer dans son achat. Elle compte pour 34 % de la population.

- La majorité avancée : plus timorée, elle n'embarque dans le train de la nouveauté que lorsque beaucoup de gens se sont déjà laissé tenter. Elle constitue 34 % des acheteurs.

- Les traînards : très précautionneux, ils sont les derniers à faire l'acquisition du nouveau produit, qui ne l'est plus vraiment. Ils ferment la marche avec 16 % des acheteurs.

Corrigé

Les corrigés sont disponibles à la fin du chapitre.

L e tableau, le schéma ou le graphique sont des outils très utiles qui vous aideront à synthétiser de l'information et à mettre de l'ordre dans vos idées. Ils peuvent se révéler indispensables lors de la rédaction d'un texte ou pour accompagner les propos d'un exposé. Laissez votre imagination et votre créativité s'exprimer !

PENSE-BÊTE

Distinguer objets et critères
Ne confondez pas les objets comparés et les critères permettant de faire la comparaison.

Développer une vue d'ensemble
Ces trois méthodes, le tableau, le schéma et le graphique, doivent permettre une vue d'ensemble. Adoptez donc une approche minimaliste et ne vous encombrez pas avec les détails.

Visualiser les éléments
Utilisez des formes, des couleurs, des objets ou des icônes afin de distinguer les éléments constitutifs du tableau, du schéma ou du graphique.

Corrigés des exercices

Tableau à double entrée

Exercice 1, page 92 – Les différents types de consommateurs de nouveaux produits

	Innovateurs	Hâtifs	Majorité précoce	Majorité avancée	Traînards
Distribution	2,5 %	13,5 %	34 %	34 %	16 %
Trait psychologique	Goût du risque	Meneurs	Réflexion	Méfiants	Attachés à la tradition

Exercice 2, page 93 – Les primates

	Anthropoïdes	Singes	Prosimiens
Traits distinctifs	Habiletés langagières Plus gros cerveaux Pas de queue	Vivent dans les arbres Terrestres	Nocturnes Odorat (chasse) Plus petits
Sous-groupes	Gorilles Chimpanzés	Marmousets Hurleurs	Lémuriens Loris

Deux schémas

Exercice 1, page 100 – Les composantes de la définition

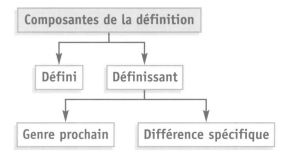

Exercice 2, page 100 – Les primates

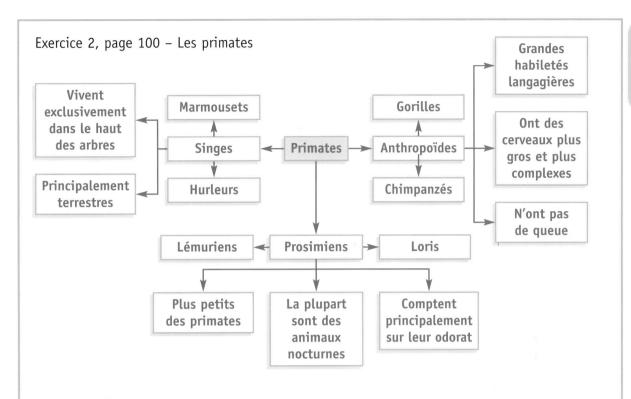

Deux graphiques
Page 104 – Les différents types de consommateurs de nouveaux produits

Graphique d'évolution

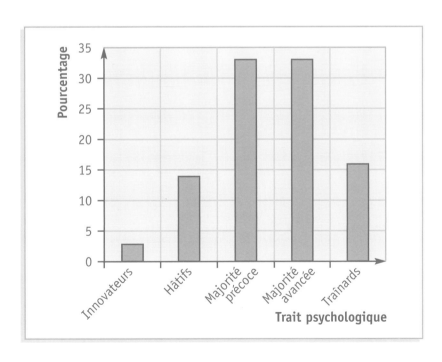

Graphique en forme de tarte

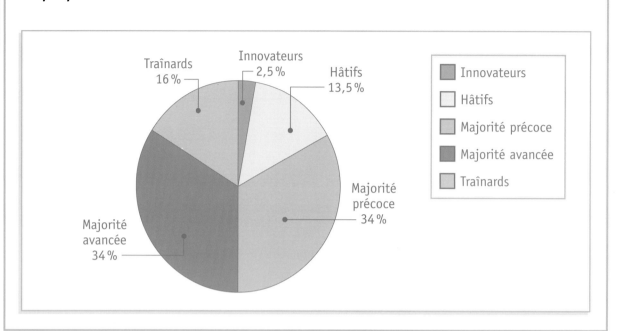

Rédiger

- Souffrez-vous du syndrome de la page blanche ?

- Êtes-vous capable de faire un plan ?

- Vos textes sont-ils confus ?

- Écrire rime-t-il avec martyre ?

- Savez-vous par où commencer la rédaction de vos travaux ?

Il existe plusieurs types de texte : argumentation, comparaison, fiction narrative, rapport de laboratoire, pamphlet, curriculum vitæ, et combien d'autres. Ce chapitre, sans présenter tous ces genres de façon exhaustive, explique les grandes étapes de rédaction propres à la composition de tout texte.

Un texte consiste en une suite d'idées organisées. En conséquence, le processus d'écriture, quel qu'il soit, devrait toujours se dérouler en quatre temps.

1. Trouver les idées (*Rechercher et traiter l'information*).

2. Structurer ces idées, faire un plan (*Organiser les idées*).

3. Rédiger le texte (*Écrire le texte*).

4. Peaufiner le texte (*Élaborer le document final*).

Évitez de confondre ces quatre étapes. Bien sûr, rien ne vous empêche de revenir en arrière s'il manque des renseignements pertinents ou si votre plan gagnerait à être modifié. Cependant, si le travail est bien accompli à chaque stade, ces remaniements devraient s'avérer mineurs.

Il est difficile de décrire abstraitement ce processus. Nous allons donc brosser un tableau de ces étapes à travers la composition d'un texte argumentatif. Ce type de texte a été choisi parce qu'il est fréquent d'avoir à en produire dans la vie scolaire comme dans la vie professionnelle. Nous vous en proposerons également quelques variantes.

Dans cette démarche, nous utiliserons le cas concret ci-dessous à titre d'exemple. Il est inspiré d'un événement de l'actualité québécoise.

> *Un promoteur veut construire une station de sports de glisse, de ski alpin et de planche à neige, ainsi que des condominiums sur une montagne située dans un parc provincial. Un petit village bucolique niche au pied de cette montagne. La plupart des résidants s'opposent au projet. Le gouvernement devrait-il autoriser la compagnie à aller de l'avant ?*
>
> *Rédigez un mémoire présentant votre point de vue à l'Assemblée nationale du Québec.*

Le traitement de cette question illustrera de façon sommaire, au fil des explications, les étapes de la méthode de rédaction, afin d'exposer une démarche simple, accessible et efficace. Les éléments tirés de cet exemple apparaîtront en italique.

RECHERCHER ET TRAITER L'INFORMATION

La première étape consiste à rechercher et à traiter l'information. Ces deux activités se complètent et s'alimentent mutuellement. La collecte des renseignements permet d'approfondir l'analyse, et cette dernière oriente la quête de l'information. Pour ce faire, on procède à l'aide de fiches de lecture et d'un modèle d'analyse.

Rechercher et traiter l'information

Fiche de lecture p. 54

Colliger l'information

Démarrez votre réflexion en répertoriant les sources d'information : notes de cours, textes et livres au programme, bibliothèque, Internet, les autres étudiants et, bien sûr, les professeurs. Ensuite, enregistrez l'information sur des fiches de lecture.

Démarrez votre réflexion en répertoriant les sources d'information.

Analyser l'information

Il ne s'agit pas seulement de rassembler des renseignements, il faut aussi les traiter. Selon la nature du texte, le modèle d'analyse pourra varier. Nous vous proposons un canevas général pour la défense d'une thèse.

Modèle d'analyse

Dans un texte argumentatif comme celui que nous allons produire, l'analyse se subdivise généralement en trois étapes :

- Étape 1 - Contexte
- Étape 2 - Thèse et arguments
- Étape 3 - Objection et réponse

Schéma p. 94

Ce modèle d'analyse est basé sur le schéma que voici. Les étapes de la construction et chacun des éléments seront définis et illustrés à l'aide d'un exemple.

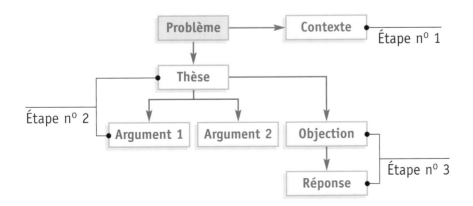

Étape 1 – Contexte : cerner le sujet avec précision

La première partie est souvent négligée, voire carrément oubliée. Elle consiste à préciser le problème traité.

Définissez d'abord les mots-clés qui apparaissent dans la question. Voici les mots-clés de notre exemple : « promoteur » et « parc provincial ». Ne définissez pas les mots courants comme « bucolique », mais seulement les mots dont la compréhension est essentielle pour bien cerner le débat.

- *Promoteur : homme ou femme d'affaires qui finance et construit des immeubles et des infrastructures dans le but de les louer ou de les vendre.*

- *Parc provincial : propriété de l'État, sa mission est de protéger les milieux naturels et de les rendre accessibles à la population pour des fins éducatives et la pratique d'activités de plein air.*

Présentez ensuite l'information factuelle, les lois, les événements, le contexte historique relatifs à la question. Tous ces éléments n'auront pas nécessairement à être pris en compte, cela dépend du sujet. Par ailleurs, d'autres éléments peuvent s'ajouter.

Faits :

- *Un village retiré de 450 personnes, dont plusieurs retraités. Calme et très beau.*

- *Un écosystème varié et très bien conservé.*

- *Une station de ski amènerait de nouveaux résidants et des touristes.*

- *La station de ski apporterait une modification profonde et durable du paysage, de la faune et de la flore.*

- *La station de ski et le développement immobilier seraient une source de nuisance pour les résidants.*

Législation :

- *La Loi sur les parcs permet de réaliser un projet de développement dans un parc national.*

- *Le gouvernement peut délimiter la zone d'un parc où une telle activité serait permise.*

FICHE : Extrait de la *Loi sur les parcs*, L.R.Q., chapitre P-9.

8.1. Nul ne peut, dans un parc, à l'exception de la Société[1], exploiter un commerce, fournir un service ou organiser une activité s'il n'a au préalable conclu un contrat à cette fin avec le ministre[2] ou obtenu son autorisation.

8.2. Le ministre peut autoriser la mise en marche d'un projet visé aux articles 8 et 8.1 à la condition que la réalisation de ce projet continue d'assurer la conservation du milieu naturel ou le maintien du potentiel récréatif du parc.

9. Le gouvernement peut, à l'égard d'un parc, adopter des règlements pour :
   a) assurer la protection et la conservation du milieu naturel et de ses éléments ;
   b) le diviser en différentes zones ;
   c) déterminer dans quelle mesure et à quelles fins le public est admis ;
   d) fixer les conditions auxquelles doit se conformer une personne qui y séjourne, y circule ou s'y livre à une activité ;
   (...)

Source : GOUVERNEMENT DU QUÉBEC, RESSOURCES NATURELLES ET FAUNE. *Les parcs nationaux du Québec*.
[www.fapaq.gouv.qc.ca/fr/parc_que/parc_loi.htm], (15 novembre 2005).

Écrivez tous ces renseignements sur votre schéma. Encore une fois, ne notez pas tous les détails, vos fiches de lecture vous serviront d'aide-mémoire au moment de la rédaction du texte.

Étape 2 – Thèse et arguments : les raisons qui justifient votre position

La présentation de votre thèse représente le cœur de l'analyse. Évitez de prendre position de façon précipitée. Gardez l'esprit ouvert, explorez toutes les possibilités.

Thèse : Ne pas autoriser le promoteur à construire.

- *Argument n° 1 : Destruction de la faune et de la flore.*

- *Argument n° 2 : Appropriation par une entreprise privée d'une partie du domaine public.*

Transcrivez-les sur votre schéma.

---

1. Il s'agit de la Société des établissements de plein air du Québec.

2. Il s'agit du ministre des Ressources naturelles, de la Faune et des Parcs.

Relevez les concepts à définir. Dans le cadre d'une évaluation, c'est souvent le moment de montrer votre compréhension de la matière en maîtrisant, entre autres, les concepts vus durant le cours. Inutile d'inscrire la définition sur le schéma, faites appel à la fiche de lecture correspondante au moment de la rédaction.

Étape 3 - Objection et réponse : les arguments contraires et leur fonction

Prévoyez d'éventuelles objections, c'est-à-dire des arguments qui viendraient contrecarrer la thèse que vous défendez. Par exemple :

- *Les commerçants locaux perdront une source importante de revenus.*

Attention ! Une objection ne consiste pas à énoncer une autre position dans le débat, comme : «*Il faut autoriser le promoteur à aller de l'avant.*»

Ensuite, réfutez cette objection.

- *Les intérêts de la majorité (site tranquille et beau, préservation du capital écologique du Québec) ont préséance sur les intérêts économiques d'une minorité de commerçants.*

Ainsi, le tandem objection-réponse se transforme en un argument favorable à votre position. Il vous permet également de répondre aux objections avant même que quelqu'un ne les formule, ce qui vous évitera d'être pris au dépourvu.

Élaboration du schéma

Le schéma nous permet de traiter l'information sans avoir à réfléchir à l'ordre de présentation, qui sera forcément linéaire (enchaînement des idées les unes à la suite des autres). Ce n'est qu'à la partie «Organiser les idées» que cette question d'enchaînement des idées devra être considérée et résolue.

À cette étape de l'analyse, ne vous censurez pas. Notez toutes les idées qui vous viennent à l'esprit. Établissez le schéma de votre argumentation. Travaillez sur une grande feuille afin de pouvoir y inscrire l'ensemble des éléments de votre réflexion. Collez ensemble deux ou quatre pages. Vous aurez ainsi beaucoup d'espace à votre disposition. Utilisez le crayon à mine de préférence au stylo, vous pourrez effacer ou déplacer vos idées au lieu de les raturer. Votre schéma ne deviendra pas un fatras illisible.

Ne vous limitez pas à vos opinions, mettez à contribution la matière du cours. Ne perdez jamais de vue que, dans un contexte éducatif, une évaluation vise toujours à vérifier votre compréhension de la matière apprise pendant le semestre.

Inutile de composer des phrases. Limitez-vous à des mots ou à des expressions et remplissez les cases du schéma. Ne le surchargez pas de détails : vos fiches de lecture vous servent d'aide-mémoire.

Voici une astuce pour clarifier votre démarche : une fois votre analyse terminée, rédigez une phrase de 25 mots au maximum qui résumera votre exposé. Si vous n'êtes pas capable de le faire, c'est que vous n'avez pas complété cette partie du travail, puisque votre objectif n'est pas clair.

Processus complet

Le schéma ci-dessous illustre la recherche et le traitement de l'information pour notre exemple. Votre schéma peut bien sûr contenir autant de bulles et de liens que nécessaire.

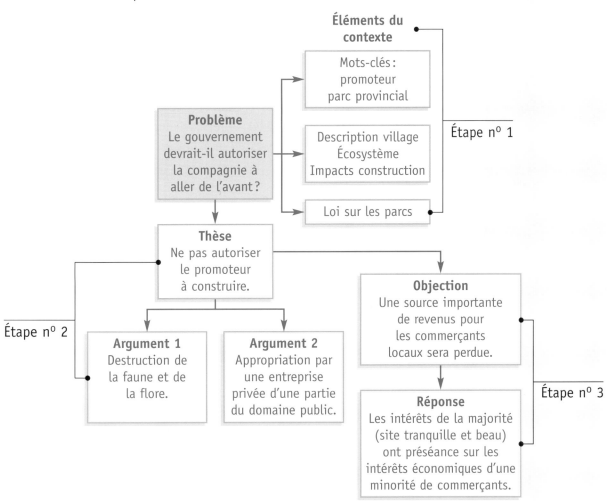

EXERCICE

Pour chacune des deux questions ci-dessous, faites le schéma d'une argumentation sur le modèle présenté précédemment (le contexte, une thèse, deux arguments, une objection et la réponse à cette dernière).

- Devrait-on interdire les véhicules qui consomment beaucoup d'essence (exemple : véhicules utilitaires sport, communément appelés VUS) ?

- Devrait-on distribuer gratuitement des seringues stériles aux toxicomanes ?

Variantes de modèle d'analyse

D'autres modèles d'analyse peuvent être mis à contribution selon le type de texte que vous avez à rédiger. Voici quelques pistes à explorer.

p. 94

Schéma

p. 54 et 91

Fiche de lecture
Tableau à double entrée

- Des schémas différents permettent d'organiser la matière autrement. Référez-vous au chapitre 8 « Synthétiser l'information » pour alimenter votre réflexion.

- Au lieu d'argumenter, vous devez comparer différents objets. Dans ce type de texte, le tableau à double entrée remplace avantageusement le schéma. Relevez les objets à comparer et les descripteurs. Remplissez ensuite les cases en mettant à contribution vos fiches de lecture.

- Certains types de textes se concentrent sur des éléments clés, comme la fiction narrative ou le rapport de laboratoire (chimie, physique, biologie, etc.). Il est important de réfléchir aux différents éléments constitutifs de ce type de document avant de passer au plan et à la rédaction proprement dite. Le modèle d'analyse se présente alors sous la forme d'une liste :

  - Dans le cas de la fiction narrative, ces points seront, entre autres :
    - Intrigue ou fil directeur
    - Personnages : physique, psychologie, qualités, défauts, famille, amis...
    - Lieux : pays, ville ou village, bâtiments...
    - Dates et chronologie
    - Événements
    - Actions

▫ Le rapport de laboratoire impose des contraintes différentes et se concentre sur les points suivants:

- – Objectif poursuivi
- – Matériel utilisé
- – Méthodologie ou procédure suivie
- – Mesures et chiffres obtenus
- – Schémas et graphiques
- – Théories
- – Analyse des résultats

Au-delà de ces différences, et quel que soit le type de texte, il est essentiel de toujours mettre à contribution un modèle qui vous permette d'analyser l'information dont vous disposez afin de l'ordonner correctement par la suite.

ORGANISER LES IDÉES

Vous disposez de toute l'information pertinente. Il s'agit à présent d'organiser ces renseignements sous forme de plan avant de passer à l'étape de la rédaction proprement dite.

Organiser les idées

N'élaborez pas le plan avant d'avoir toute l'information en main. Cela n'exclut pas qu'au courant de sa préparation, vous retourniez chercher des renseignements.

Le plan découle du traitement de vos idées. Il s'imposera de lui-même si le travail d'analyse a bien été réalisé.

Dans un premier temps, délimitez les grandes parties du texte (contexte, thèse et arguments, objection et réponse). Le schéma que vous avez construit à l'étape précédente vous sert de guide. Dans un second temps, reprenez chaque partie et vérifiez s'il est possible de les subdiviser (par exemple, la partie *Contexte* se subdivise comme suit: définitions, faits, loi). Dans un troisième temps, précisez les éléments qui doivent se retrouver dans chacune des parties et des subdivisions. Un tri des idées de départ peut s'avérer nécessaire afin de vous assurer de leur pertinence. Le cas échéant, mettez de côté celles qui n'apportent rien d'édifiant au débat.

Numérotez les parties et leurs subdivisions.

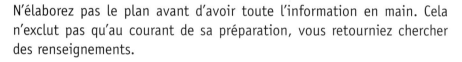

Voici le plan de notre exemple.

1. **Contexte**
   A. Définition des mots-clés
      1. Promoteur
      2. Parc provincial

   B. Faits
      1. Description du village
      2. Écosystème
      3. Impacts construction

   C. Lois
      1. *Loi sur les parcs*, article 8.1
      2. *Loi sur les parcs*, article 8.2
      3. *Loi sur les parcs*, article 9

2. **Thèse et arguments**
   Thèse : ne pas autoriser
      1. Argument 1 : écosystème
         1.1 Fragilité de la nature
         1.2 Besoins écologiques humains
      2. Argument 2 : propriété publique et non privée
         2.1 Capital écologique du Québec
         2.2 Volonté générale

3. **Objection et réponse**
   A. Objection : perte revenus commerçants

   B. Réponse : intérêts majorité avant intérêts minorité

Une ou plusieurs fiches de lecture compléteront chaque ligne du plan et fourniront la substance développée dans chaque partie.

EXERCICE

Construisez un plan à partir de trois schémas choisis parmi ceux présentés dans le chapitre « Synthétiser l'information ».

ÉCRIRE LE TEXTE

Contrairement à une opinion plutôt répandue, rédiger son texte est l'étape la plus facile. En effet, une fois les idées définies et organisées dans un plan, il ne reste plus qu'à construire des phrases et des paragraphes avec chacune des lignes du plan.

Avant de vous lancer dans l'écriture d'un texte ayant pour objectif de présenter de l'information ou de défendre une idée, voici la règle d'or à observer : *rédigez votre document en partant du principe que le lecteur, ou le correcteur, ne connaît pas le sujet traité.* En effet, un texte qui comporte des sous-entendus, qui tient pour acquise la connaissance de certaines notions et qui brûle des étapes utiles à l'argumentation se lit mal. On admire rarement la fondation d'un monument, mais elle en est pourtant la pièce principale sans laquelle il n'y a plus rien à admirer.

Rédigez votre document en partant du principe que le lecteur, ou le correcteur, ne connaît pas le sujet traité.

Un texte se compose de trois parties : introduction, développement et conclusion. Respectez un certain équilibre pour chacune de ces parties, soit environ 10 % du texte pour l'introduction, 10 % pour la conclusion et 80 % pour le développement. Enfin, dans le cadre de votre rédaction, il faut respecter certaines règles et conventions pour les citations.

Citation

Introduction

Rédigez l'introduction à la toute fin, c'est-à-dire lorsque le développement sera achevé. En effet, il est plus facile de rendre compte des points abordés dans votre texte une fois celui-ci terminé qu'au cours de sa gestation. Par ailleurs, vous éviterez ainsi d'introduire dans votre document des incohérences entre ce que vous annoncez et ce que vous présentez vraiment.

Introduction

L'introduction présente le texte à venir afin d'en faciliter la lecture. Ne la négligez pas. Elle se divise en trois parties :

1. Sujet amené : séduire son lecteur et le convaincre de lire le texte.

2. Sujet posé : présenter le sujet qui va être traité.

3. Sujet divisé : exposer le plan du texte.

Le sujet amené est court et invite à lire la suite du texte. Une ou deux phrases bien senties suffisent. Évitez les banalités et les clichés du type : « Depuis la nuit des temps, les hommes se sont interrogés sur la moralité de leurs actions. » C'est inutile, et cela peut même se révéler faux, discutable ou invérifiable.

Le sujet posé présente votre propos. Visez la clarté et la concision. Dans notre exemple, nous aurions :

> *Le gouvernement devrait-il autoriser un promoteur à construire un domaine skiable avec condominiums sur une montagne située dans un parc provincial ?*

Le sujet divisé donne le titre et l'ordre des parties, parfois en justifiant ces choix. Par exemple :

> *Le texte est divisé en trois parties : le contexte ; la thèse et les arguments qui la défendent ; et les objections à notre position.*

Développement

Dans le fil de votre rédaction, il est absolument essentiel de respecter quelques règles élémentaires :

- Utilisez des mots dont vous connaissez le sens.

- Construisez des phrases courtes. En effet, les longues phrases, d'une part, exigent une excellente maîtrise de la langue et de la syntaxe et, d'autre part, même bien écrites, elles alourdissent votre style et rendent la lecture plus ardue.

*Une idée,
un paragraphe.*

- Une idée, un paragraphe : telle est la règle. Il est très rare qu'on fasse trop de divisions de paragraphes. Pour déceler les écarts à cette règle, indiquez dans la marge chaque idée énoncée dans votre texte. S'il y a plus d'une idée dans un paragraphe, scindez-le.

- Assurez-vous que les idées s'enchaînent bien. Voici une astuce pour obtenir rapidement une vue d'ensemble. Les traitements de texte permettent l'affichage de la première ligne de chaque paragraphe. En utilisant le mode « Affichage > Plan » de votre éditeur de texte, vous faites ressortir l'enchaînement des idées, puisque votre texte apparaît dépouillé du contenu de ses paragraphes. Vous pouvez ainsi d'un coup d'œil sauter d'une idée à l'autre et vous assurer que votre propos se déroule logiquement. Le même principe est à la base de la méthode de lecture à l'étape «Lecture préliminaire» dans le chapitre «Lire».

- Équilibrez les parties de votre texte, en accordant plus de lignes au traitement des idées principales qu'aux idées secondaires.

p. 45
Lecture préliminaire

Conclusion

La conclusion récapitule les idées principales du texte, présente les conséquences logiques des arguments soulevés et répond à la question posée en introduction. À la fin d'un texte argumentatif, on retrouvera notamment la thèse défendue et les arguments fondamentaux. À cette première partie essentielle de la conclusion se greffe parfois une ouverture qui propose des pistes d'exploration ou encore de nouvelles questions. Cela stimule la réflexion du lecteur et clôt votre propos de façon élégante.

Révision du texte

Laissez dormir votre texte quelque temps si possible. Vous prendrez du recul et vous serez plus en mesure d'apporter des correctifs tant structurels que littéraires.

«Vingt fois sur le métier remettez votre ouvrage»[1]. Ce beau proverbe a été écrit expressément comme conseil de rédaction. En effet, il faut relire et corriger un texte plusieurs fois afin de s'assurer qu'il coule aisément. La meilleure façon de savoir si une phrase se lit facilement est de la dire à voix haute.

Vingt fois sur le métier remettez votre ouvrage.

N'ayez pas peur de couper des phrases ou des passages qui vous semblent de trop, aussi bien écrits soient-ils. Il vaut mieux être concis et vous débarrasser de tout ce qui éloigne de votre propos plutôt que de perdre l'attention de votre lecteur et de nuire à la compréhension de votre texte. Réviser, cela consiste souvent à effacer.

Ne cherchez pas à revoir le contenu et la langue en même temps, ce sont deux tâches fort différentes. Idéalement, avant d'imprimer la version définitive, faites lire le texte par quelqu'un d'autre, dans le dessein de procéder à une dernière correction par un regard neuf.

Les correcteurs automatiques, même s'ils sont limités, sont des aides précieuses, ne serait-ce que pour éviter les fautes de frappe.

---

1. Boileau (1674). *L'Art poétique.*

ÉLABORER LE DOCUMENT FINAL

L'essentiel du texte est terminé. Il s'agit maintenant de le parachever pour obtenir une version définitive en ajoutant une page titre et une table des matières, et en soignant la mise en page.

Les règles et les conventions concernant la bibliographie, les références et les citations sont traitées dans le chapitre 10 «Présenter les sources de sa réflexion».

Page titre

Il faut toujours remettre vos travaux avec une page titre. Cette page doit porter: votre nom, votre groupe, le titre du travail, le titre et le numéro du cours, le nom du professeur et de l'établissement, le lieu, la date et tout autre renseignement exigé par le professeur ou l'établissement.

La nature et le positionnement de ces renseignements peuvent varier. Il n'est pas rare que les établissements d'enseignement imposent un modèle type. Renseignez-vous afin d'éviter des erreurs inutiles. Cela dit, voici un exemple de page titre:

Identification Groupe	Zacharie Lombard Groupe 10
Titre	L'inconscient freudien
Nom et numéro du cours Professeur	Psychologie 101 Présenté à Martine Vadnais
Établissement Lieu Date	Collège de la Réussite Montréal 15 novembre 2006

Table des matières

La construction d'une table des matières qui présente le plan du document est également nécessaire, particulièrement lorsque votre travail comporte plusieurs parties. La table des matières peut être plus ou moins détaillée selon l'ampleur du document et de ses subdivisions. La plupart des logiciels de traitement de texte proposent des modèles types pour la créer. Encore une fois, renseignez-vous auprès de votre professeur ou de votre établissement pour connaître leurs exigences. Voici un exemple classique :

Mise en page

Enfin, il est temps d'apporter une touche finale et de donner à votre travail une mise en page homogène. Amusez-vous ! Fignolez une belle présentation. Selon les cours et les établissements d'enseignement, le format et l'information pourront varier.

Amusez-vous ! Fignolez une belle présentation.

Certaines décisions s'imposent sur les points suivants :

- Pagination du texte.

- Numérotation des parties et de leurs subdivisions.

Police
Interlignage
Titre

- Choix typographiques : polices, interlignage, titres et sous-titres.

- Format pour les notes en bas de page ou en fin de document (taille des caractères, numérotation ou symbole, etc.), les citations (guillemets, mises en retrait, italiques, insérées dans les textes, en note en bas de page, etc.) et les références (auteur-date ou éditeur-date) s'il y a lieu.

Référence
Citations

- Type de papier en fonction de la nature du document. La plupart du temps, le format 8 1/2 sur 11 et la couleur blanche sont indiqués.

Assurez-vous de rester cohérent tout au long de votre texte dans vos différentes options.

Bien qu'il existe des méthodes pour en faciliter la tâche, rédiger des textes est un art qui se développe avec le temps. Vous ne pouvez vous attendre à maîtriser rapidement l'écriture. C'est un long processus d'apprentissage qui se concrétise à mesure que vous rédigez des textes. Ne vous découragez pas si vous peinez pour écrire, c'est normal. Et soyez confiant : chaque ligne que vous rédigez vous améliorera.

PENSE-BÊTE

S'acquitter d'une tâche à la fois
Ne cherchez pas à tout faire en même temps. Respectez les quatre grandes étapes de la rédaction.

Introduire son texte
Présentez votre sujet et votre plan au lecteur.

Réfléchir sur les idées
Pourquoi cette idée devrait-elle se trouver dans votre texte ?

Organiser ses idées
Pourquoi cette idée devrait-elle se trouver à tel endroit dans votre texte ?

Soigner les phrases
Vos phrases sont complètes et bien structurées, sans fautes d'orthographe ni d'accord.

Faire la mise en page
Elle est homogène du début à la fin.

Prendre du recul
Laissez passer un peu de temps avant de faire la révision finale.

Présenter les sources de sa réflexion

- Connaissez-vous la méthode à employer pour les références bibliographiques ?

- Savez-vous comment citer un auteur et éviter ainsi les accusations de plagiat ?

*Rendez à César
ce qui est à César!*

« R endez à César ce qui est à César » ! L'honnêteté intellectuelle commande de mentionner les auteurs, les organismes
ou toute autre source qui ont alimenté votre réflexion. Il
est donc essentiel, d'une part, de bien connaître les règles pour l'élaboration d'une bibliographie et des références qui la composent et, d'autre
part, de savoir comment citer un auteur.

BIBLIOGRAPHIE ET RÉFÉRENCES

Bibliographie

La bibliographie donne la référence complète des documents consultés
pour la rédaction d'un texte. On indique ces renseignements pour trois
raisons :

- Faire connaître les sources qui ont alimenté votre réflexion lors de la
rédaction du texte et leur rendre justice.

- Être en mesure de retrouver facilement les documents consultés.

- Donner des indications aux lecteurs sur le contenu du document. En
effet, les auteurs auxquels on a eu recours peuvent être liés à un
courant particulier, à une époque marquée par certains événements
ou à une culture. Par exemple, Mélanie Klein est associée à la psychanalyse ; la présence d'un de ses ouvrages dans une bibliographie permet
alors au lecteur familier avec le domaine de se faire une petite idée
du contenu à venir. La maison d'édition peut aussi être une source
de renseignements utiles. En effet, une maison spécialisée dans les
manuels scolaires ne publiera pas les mêmes textes qu'une maison
reconnue pour la publication de romans d'avant-garde.

Référence

Les références apparaissent par ordre alphabétique des noms d'auteur.
S'il y a plus d'un document pour un même auteur, ils sont présentés par
ordre de date de parution, du plus récent au plus ancien (méthode
auteur-date), ou par ordre alphabétique du titre (méthode éditeur-date).

Il existe plusieurs façons de produire une référence. Cela dit, quelle que
soit la convention utilisée, elle est constituée de quatre renseignements essentiels : Qui – Quand – Quoi – Où. C'est-à-dire : qui a produit
le document ? à quelle date ? quel est le document ? et où peut-on le
trouver ?

Les deux méthodes les plus courantes de présentation de ces éléments
sont : auteur-date et éditeur-date.

Méthode auteur-date

Le schéma ci-dessous illustre la méthode auteur-date.

Auteur-date

Qui	*Quand*	*Quoi*	*Où*

TREMBLAY, Pierre (1995). *Les érables rouges du Québec.* Montréal, Éditions du trèfle, 128 p.

Voici les principales conventions pour les quatre catégories de renseignements.

QUI	
Cas	**Exemple**
Un auteur. Le nom de famille est en majuscules. Il est suivi d'une virgule et du prénom en minuscules. On peut également indiquer uniquement l'initiale du prénom.	TREMBLAY, Pierre (1995). *Les érables rouges du Québec.* Montréal, Éditions du trèfle, 243 p. TREMBLAY, P. (1995). *Les érables rouges du Québec.* Montréal, Éditions du trèfle, 243 p.
Deux auteurs. Les noms apparaissent par ordre alphabétique. Après avoir inscrit le nom et le prénom du premier auteur tel que décrit ci-dessus, on inverse l'ordre pour le second auteur. On commence donc par le prénom suivi directement du nom de famille sans mettre de virgule. La mention du second auteur est précédée d'un « et ».	MASSON, Stéphanie et Julien LAROUCHE (1999). *Les conifères du Québec.* Montréal, Éditions du trèfle, 129 p.
Plus de deux auteurs. Seul le premier auteur est nommé et il est suivi de la mention « et coll. ».	ALLAIRE, Jean-François et coll. (2002). *Les techniques de coupe de bois.* Montréal, Éditions du trèfle, 379 p.
Pas d'auteur. • S'il s'agit d'une **publication gouvernementale ou institutionnelle,** le nom complet de l'organisme responsable est écrit en majuscule. • Dans les autres cas, la référence commence avec [ANONYME] en majuscules et entre crochets. C'est le cas, par exemple, d'un article d'une encyclopédie.	ORGANISATION DES NATIONS UNIES (2001). *La déforestation.* New York, Département de l'Assemblée générale et de la gestion des conférences, 12 p. [ANONYME] (2002). *Mystère des forêts.* Montréal, ABC Éditions, 22 p.

QUAND	
Cas	**Exemple**
La date de parution est insérée à la suite du nom de l'auteur entre parenthèses. Cette partie de la référence se termine avec un point.	TREMBLAY, Pierre (1995). *Les érables rouges du Québec.* Montréal, Éditions du trèfle, 243 p.

QUOI	
Cas	**Exemple**
Un livre. Le titre du document est en italique et il est suivi d'un point.	TREMBLAY, Pierre (1995). *Les érables rouges du Québec*. Montréal, Éditions du trèfle, 243 p.
Un article ou une partie d'un ouvrage collectif. Le titre du document consulté est mis entre guillemets. Il est suivi du mot «dans» et du titre de la revue, du journal ou de l'ouvrage collectif en italique. On remplace le nombre de pages en fin de référence par les numéros des pages correspondant au texte. Cette partie de la référence se termine avec un point.	BEAUDOIN, Nicole (2005). «Les érables à sucre» dans *Les érables du Québec*. Montréal, Éditions du trèfle, p. 243-265.

Deux précisions s'ajoutent pour cette partie de la référence :

- Lorsqu'un auteur a publié plus d'un document, ces derniers sont classés par date de parution, du plus récent au plus ancien.

- L'italique indique toujours le document qu'il faudra retracer afin de pouvoir retrouver le texte consulté.

OÙ	
Cas	**Exemple**
Un livre. On indique le lieu, la maison d'édition et le nombre de pages de l'ouvrage. Chaque renseignement est séparé par une virgule.	TREMBLAY, Pierre (1995). *Les érables rouges du Québec*. Montréal, Éditions du trèfle, 243 p.
Le livre fait partie d'une collection. On indique le nom de cette collection entre guillemets et le numéro du document entre parenthèses après le nombre de pages.	TREMBLAY, Pierre (1995). *Les érables rouges du Québec*. Montréal, Éditions du trèfle, 243 p. (Collection «Les arbres du Québec» n° 3).
Le document est une page Internet. On donne l'adresse de la page entre crochets suivie d'une virgule et de la date de consultation entre parenthèses.	ORGANISATION DES NATIONS UNIES. *La déforestation*. [www.un.org/french/aboutun/dudh.htm], (26 mai 1998).
Un document audiovisuel. On annonce la durée plutôt que le nombre de pages ; s'il s'agit d'une émission télévisée, on indique également la date de diffusion entre parenthèses.	TREMBLAY, Pierre (1999). *Les érables au Québec*. Montréal, Productions ABC, 35 min. TREMBLAY, Pierre (1999). *Les érables au Québec*. Québec, Télé-Québec, 22 min (18 juillet 1999).

Méthode éditeur-date

La seconde façon de présenter ces renseignements consiste à mettre la date après la maison d'édition, sans parenthèses et entre virgules. Pour le reste, rien ne change. Dans cette variante, les ouvrages d'un même auteur sont classés par ordre alphabétique du titre.

Éditeur-date

Qui	*Quoi*	*Où*	*Quand*

TREMBLAY, Pierre. *Les érables rouges du Québec*. Montréal, Éditions du trèfle, 1995, 128 p.

Ces méthodes standards ne doivent cependant pas vous dispenser de prendre connaissance des exigences de votre professeur ou de votre établissement afin de vous y conformer.

CITATIONS

Une citation est un extrait d'un texte rapporté exactement. On l'utilise pour appuyer ses dires, pour exposer fidèlement la pensée d'un auteur ou pour relater les propos d'autrui. Cependant, copier un passage d'un livre ou d'un site Internet en le faisant passer pour son propre texte est du plagiat. C'est pourquoi vous devez respecter certaines règles lorsque vous citez un auteur.

Citation

Copier un passage d'un livre ou d'un site Internet en le faisant passer pour son propre texte est du plagiat.

Règles pour citer un auteur

Distinguez la citation de votre texte en l'insérant entre guillemets. Mettez-la en retrait lorsqu'elle est longue.

Transcrivez exactement les mots de l'auteur. Si vous omettez certaines phrases ou certains mots, indiquez-le en insérant trois points entre parenthèses à l'endroit où vous avez coupé une partie du texte (...).

Commentez la citation dans vos propres mots. Seule, elle n'a que peu de valeur. Elle ne démontre pas votre compréhension de la matière. Ayez confiance en votre prose !

Indiquez votre source. Deux méthodes sont couramment utilisées. Dans la première, la référence est insérée directement dans le texte à la suite de la citation. Dans la seconde, la référence est renvoyée en note de bas de page ou dans une section réservée à cet effet en fin de document.

Référence insérée à la suite de la citation

On mentionne la référence entre parenthèses et directement après la citation. Par exemple :

> Comme le disent les auteurs de cette recherche, « le système n'est pas neutre, il est biaisé par les antécédents de l'opérateur » (Beaudoin et Harvey, 1998 : 45).

Cette méthode implique que les références complètes soient présentées dans une bibliographie accompagnant le texte. Le lecteur aura ainsi à sa disposition la référence exhaustive.

Voici les différents cas que vous pouvez rencontrer. Notez qu'à la différence de la référence bibliographique, les noms de l'auteur, de l'organisme ou de la page Web apparaissent en lettres minuscules. De plus, les prénoms ne sont jamais mentionnés.

Cas	Exemple
Un auteur. Indiquez entre parenthèses le nom en lettres minuscules suivi d'une virgule, l'année de publication suivie du deux-points et la page d'où est tiré l'extrait.	(Beaudoin, 1987 : 37)
Deux auteurs. Leurs noms sont unis par un « et », tout en respectant l'ordre alphabétique.	(Beaudoin et Harvey, 1998 : 45)
Plus de deux auteurs. Nommez le premier auteur suivi de l'expression « et coll. ».	(Beaudoin et coll., 1999 : 230)
Le ou les coauteurs ont publié plus d'un document dans une même année. Ajoutez des lettres a, b, etc. après l'année en suivant l'ordre alphabétique des titres.	(Beaudoin, 1989a : 37)
Pas d'auteur. • S'il s'agit d'une **publication gouvernementale ou institutionnelle**, mentionnez le nom complet de l'organisme responsable. • Dans les autres cas, écrivez « Anonyme ».	(Organisation des Nations Unies, 1999 : 18) (Anonyme, 2000 : 318)
Une page Web. Mentionnez le nom de l'organisme ou de l'auteur de la page suivi d'une virgule et ajoutez Internet. Lorsqu'il y a plusieurs références Internet du même organisme, on les distingue avec une lettre a, b, c, etc.	(Organisation des Nations Unies, Internet) (Organisation des Nations Unies, Internet b)

Référence en note de bas de page ou en fin de document

La seconde option consiste à renvoyer la référence dans une note en bas de page ou en fin de document. La citation est suivie d'un appel de note (chiffre en exposant) qui se place à la fin de la citation, avant la fermeture des guillemets. Par exemple :

«Cet article décrit les principales composantes du système.[1]»

On ajoute une note de référence complète au bas de la page ou en fin de document. Par exemple :

---

1. Julie Lapierre (1987). *Les systèmes*. Montréal, Édition du Pont, p. 37.

Cette note diffère de la référence bibliographique sur trois points :
- le prénom de l'auteur précède son nom ;
- le nom de l'auteur est en lettres minuscules ;
- on indique la page consultée à la fin de la note et non pas le nombre de pages de l'ouvrage.

Pour le reste, à savoir le « quand », le « quoi » et le « qui », les conventions sont les mêmes que pour la référence bibliographique. Référez-vous à la section sur les références à la page 128 pour connaître les différentes conventions.

Lorsque ce n'est pas la première fois que vous faites référence au même ouvrage, vous pouvez utiliser des expressions latines pour éviter de répéter la note en entier.

Cas	Exemple
La référence est identique à la précédente. Vous remplacez la référence complète par « *Ibid.* » en italique, qui veut dire « au même endroit », suivi de la page consultée si elle diffère.	1. *Ibid.*, p. 23.
La référence a déjà été citée dans le document, mais elle n'est pas identique à la précédente. Vous indiquez le nom de l'auteur suivi de « *op. cit.* » en italique et de la page consultée si elle diffère.	1. Julie Lapierre, *op. cit.*, p. 23.

Comme vous avez pu le constater, il existe différentes conventions pour présenter les références et les sources des citations. De plus, ces conventions changent au fil du temps. Dans ce contexte, retenez la règle fondamentale suivante : informez-vous auprès de votre professeur ou de votre établissement pour connaître la méthode employée.

Respecter les auteurs
Donnez les références de tous les auteurs qui ont alimenté votre réflexion.

Faire un choix éclairé
Consultez votre professeur ou votre établissement afin de vous assurer que vous connaissez les conventions en vigueur.

Citer correctement
Présentez adéquatement les citations et commentez-les dans vos propres mots.

Rester cohérent
Utilisez un seul ensemble de conventions à l'intérieur d'un document.

Discourir

- Devant un public, le stress vous prive-t-il de vos moyens ?

- Avez-vous l'impression que votre auditoire s'ennuie ?

- Votre message et votre contenu passent-ils auprès de l'assemblée ?

- Savez-vous comment préparer des documents audiovisuels et les utiliser ?

- Savez-vous quelle attitude adopter devant une assistance ?

Les exposés font partie de la vie des étudiants et de beaucoup d'emplois professionnels. Comme la plupart des gens ressentent de l'anxiété à la perspective de parler devant un auditoire, cette appréhension peut devenir un important facteur de stress et d'échec. Vous avez donc intérêt à posséder des habiletés de base en communication orale pour la préparation, l'exécution et l'analyse de vos prestations.

PRÉPARER SON EXPOSÉ

Au départ, il ne faut pas mettre la barre trop haute. Rappelez-vous que les professeurs, les présentateurs de télévision ou de radio et les politiciens ont souvent une vaste expérience, sinon une formation en art oratoire. Évitez de vous mesurer à ces gens. Par contre, observez ce qu'ils font afin de vous en inspirer.

Combien de temps devrait être consacré à l'élaboration d'un exposé ? L'ampleur de la préparation dépendra évidemment des enjeux. Le temps et l'énergie investis pour un exposé valant 30 % de la note du cours dépasseront ceux d'un exposé comptant pour 10 %. De façon générale, on estime à environ 15 minutes le temps requis pour préparer une minute d'exposé, et à une journée de travail pour un discours d'une vingtaine de minutes.

Connaître l'auditoire

Il est important de connaître la composition de l'auditoire afin d'ajuster le contenu, la forme et le langage de son discours.

Il est important de connaître la composition de l'auditoire afin d'ajuster le contenu, la forme et le langage de son discours. Dans un établissement d'enseignement, il est relativement facile de déterminer la nature de l'assemblée, puisque ce sont des étudiants comme vous. Mais dans un autre type d'organisation, les publics peuvent être très variés. Arrêtez-vous sur les points suivants : nombre de personnes, âge, sexe, origine, langues parlées, connaissance du domaine de l'exposé, formation, postes occupés, opinions, ou toute autre variable susceptible d'influencer le contenu et la stratégie que vous utiliserez pour votre discours.

Il faut aussi évaluer les attentes et la réceptivité des gens auxquels vous allez vous adresser. S'attendent-ils à un résumé d'une problématique ? Ou à ce que vous présentiez une ou plusieurs solutions à un problème ? Sont-ils absolument contre la thèse que vous voulez défendre ? Sont-ils réceptifs à l'humour ? etc.

Rechercher et organiser l'information

Un exposé reprend les stades essentiels de la rédaction d'un texte. Il faut d'abord avoir des idées et leur donner une structure. Ces deux démarches correspondent aux étapes « Rechercher et traiter l'information » et « Organiser les idées » du chapitre « Rédiger ». On trouve donc dans un exposé des sections et des subdivisions plus ou moins détaillées. Cette structure prendra la forme d'une table des matières ou d'un plan dévoilé au début de la présentation.

p. 111 et 117

Rechercher et traiter l'information
Organiser les idées

Choisir le support : tableau, documents audiovisuels

Pensez à utiliser un support visuel pour vos exposés parce que cela ajoute une dimension importante à la voix. En effet, l'oral ne mobilise pas toutes les facultés des membres d'un auditoire. De plus, un discours peut devenir monotone et vous risquez de perdre l'attention de l'assistance.

Les principales fonctions du support visuel consistent à faire apparaître l'essentiel de vos idées, à rendre apparente la structure de l'exposé, à illustrer le sujet, à stimuler l'attention de l'auditoire, à jouer le rôle de déclencheur au début de l'exposé ou encore à lancer une discussion.

Déterminez rapidement les types de support que vous allez mettre à contribution pendant votre exposé afin d'être en mesure de bien planifier la suite de votre préparation. Parmi les outils disponibles, il y a le tableau traditionnel et toute la gamme des documents visuels (cartons, transparents, vidéo, écrans d'ordinateur projetés à l'aide d'un canon, diapositives, etc.). Vous pouvez combiner plusieurs de ces supports.

Tableau

Fidèle au poste, le tableau est omniprésent dans les salles de classe. C'est un merveilleux outil, à condition d'en faire une bonne utilisation. Il possède des avantages indéniables : il est toujours disponible, il peut s'effacer, il permet d'ajouter des éléments tout au long du déroulement de l'exposé et il ne fait pas appel à des technologies pouvant faire faux bond. Par contre, il souffre de certains désavantages : vous avez le dos tourné à l'auditoire lorsque vous écrivez, le texte peut s'avérer difficile à lire à cause d'une calligraphie déficiente, il faut effacer des parties, qui ne sont plus disponibles pour un retour en arrière, le fait d'écrire et d'effacer peut briser le rythme de votre présentation et, en fin de journée, il peut être particulièrement sale.

Documents audiovisuels

Les documents audiovisuels offrent des avantages certains : ils sont élaborés d'avance, ils exigent peu de manipulations pendant l'exposé et ils peuvent être longuement fignolés. Cependant, il est difficile de les modifier pendant l'exposé, ils se prêtent moins bien aux changements impromptus, et ils peuvent toujours faire défaut lorsqu'ils impliquent un appareillage électronique ou autre. Ajoutons que les présentations mettant à contribution l'ordinateur et un logiciel de présentation s'avèrent parfois ennuyeuses pour l'auditoire.

Si plusieurs personnes présentent l'exposé, il est important d'assurer la cohérence entre les parties en ce qui concerne la construction (même système de numérotation) et la présentation (même support audiovisuel). S'il n'y a pas d'homogénéité entre les supports audiovisuels, par exemple une partie de l'exposé est réalisée sur des transparents et une autre, sur des cartons, il faut que ce soit un choix délibéré (varier les supports, média incontournable, etc.).

Planifier l'utilisation du tableau

Il ne faut pas improviser l'utilisation du tableau, au contraire, il faut la planifier.

Contrairement à ce que beaucoup de gens croient, il ne faut pas improviser l'utilisation du tableau, au contraire, il faut la planifier. Voici quelques règles simples à respecter :

- Pensez en termes *d'écran*. Idéalement, vous avez vu le tableau avant de faire votre présentation et défini le nombre de panneaux qui le composent, en général deux ou trois. Ces sections représentent des découpages naturels que vous devez exploiter en planifiant ce que vous y écrirez. Utilisez une feuille 8 1/2 sur 11 pour chaque « écran ». Inscrivez-y en gros caractères ce que vous avez l'intention d'écrire au tableau, vous pourrez consulter facilement ces notes. De plus, il vous sera facile de suivre vous-même le déroulement de votre exposé.

- Ajoutez sur ces feuilles des renseignements qui ne seront pas écrits au tableau, mais que vous communiquerez oralement. Utilisez des couleurs différentes pour distinguer le texte à écrire au tableau et les renseignements que vous formulerez.

Composer les documents visuels

Exemple de présentation PowerPoint

Voici quelques règles élémentaires à suivre pour la préparation de documents visuels.

- **Textes**
  - Le défaut d'utilisation le plus fréquent avec les écrans[1] est la trop grande quantité d'information. Le maximum de mots par écran devrait

---

1. Nous utiliserons le terme « écran » pour désigner ce qui est présenté devant un auditoire, quels que soient le support ou la technologie utilisés.

être de 36, en excluant le titre, soit six lignes avec, au plus, 6 mots par ligne. On peut alléger les lignes en supprimant les pronoms, les articles et même les verbes. Bien sûr, on ne peut espérer respecter en tout temps cette règle. Il peut arriver qu'on veuille présenter une définition à l'aide de phrases complètes et bien structurées. Un truc simple consiste à se poser la question suivante : qu'aurais-je écrit au tableau ? Limitez-vous ensuite à reproduire uniquement ce contenu sur les écrans.

Le maximum de mots par écran devrait être de 36, en excluant le titre, soit six lignes avec, au plus, 6 mots par ligne.

TRANSMETTRE L'INFORMATION

– Une page manuscrite contient environ 200 mots. La plupart des logiciels permettent de compter le nombre de mots dans un fichier. Si vos écrans totalisent 1000 mots et que votre exposé dure une heure, cela signifie que les personnes prendront cinq pages de notes, ce qui leur laissera peu de temps pour comprendre ce que vous dites. Vous devrez donc réduire la quantité de renseignements.

– Ne mettez jamais un texte complet sur écran. Si vous jugez que sa lecture est nécessaire, remettez le texte sur papier à l'auditoire, et préparez sur un transparent ou sur un écran d'ordinateur les points que vous voulez mettre en lumière.

– Privilégiez les mots simples, courts et précis. Tenez compte des connaissances de votre auditoire dans le choix des mots.

– Évitez à tout prix les fautes d'orthographe, sinon vous risquez de miner votre crédibilité. Utilisez les correcteurs afin de vous assurer que vos écrans sont sans faille.

Caractères

– **Type.** Il est préférable d'utiliser des polices de caractère sans empattements, comme Arial, car elles se lisent mieux à l'écran. Pour la même raison, employez des polices à espacement non proportionnel, comme Courier, pour les colonnes de chiffres.

p. 152 et 153

Police
Empattement

– **Taille.** On suggère une taille de 36 points pour les titres, et de 32 points pour le texte d'un transparent ou d'un écran d'ordinateur. Là encore, cette règle générale peut s'adapter en fonction de la salle où a lieu la présentation, un petit local pouvant s'accommoder de caractères un peu plus petits, mais ne descendez jamais sous le seuil des 24 points.

– **Variété et exotisme.** Limitez-vous à un maximum de deux familles de police dans un document. Évitez les polices trop exotiques, elles sont souvent difficiles à lire à l'écran.

p. 152 et 154

Famille
Point

– **Accentuation.** Mettez vos mots en évidence de différentes façons : majuscules, caractères gras, italiques, couleurs. Bannissez les soulignés, ils ne sont plus utilisés en graphisme depuis fort longtemps.

- **Fond.** Il agrémente les écrans d'ordinateur que vous projetez. Assurez-vous cependant qu'il ne rend pas la lecture des textes difficile, voire impossible.

- **Titres.** Ils donnent une indication importante sur le contenu. Abstenez-vous de répéter le même titre sur plusieurs transparents ou écrans d'ordinateur. Cela ne sert à rien et vous accaparez de l'espace qui aurait pu être mis à profit autrement.

- **Orientation.** Elle dépend du contenu des écrans. On privilégie généralement la disposition horizontale pour les graphiques et les schémas (option *Paysage*), et la disposition verticale pour le texte (option *Portrait*). Comme il est fréquent que le contenu soit un mélange des deux types, il faut choisir l'orientation qui conviendra à la majorité.

- **Homogénéité.** Afin de ne pas générer de la confusion dans l'auditoire, les écrans doivent être homogènes dans leurs différentes dimensions : caractères, fond, titres, orientation.

- **Effets spéciaux.** Les logiciels de présentation nous permettent d'inclure toutes sortes d'effets dans nos écrans. Assurez-vous que ces effets ne détournent pas l'attention de l'auditoire. Utilisez-les avec sobriété et parcimonie.

Tableau d'information
Schéma
Graphique

Tableaux d'information, schémas et graphiques

Des règles particulières s'appliquent aux tableaux d'information, schémas et graphiques :

- Évitez de les surcharger.
- Simplifiez-les.
- Assurez-vous de la clarté et de la lisibilité. Trop souvent, les caractères sont illisibles pour l'auditoire.
- Privilégiez la sobriété.

Transparents

- Numérotez vos transparents afin de pouvoir les remettre facilement dans l'ordre.
- Insérez une feuille blanche entre chacun. Ils ne colleront pas les uns aux autres et se dégraderont moins.

Confectionner les notes pour l'exposé

Beaucoup d'orateurs s'accompagnent de notes pendant leur exposé. Il s'agit alors de bien choisir son support et le type de notes.

Privilégiez les fiches cartonnées plutôt que les feuilles, car il est plus facile d'y repérer les renseignements et elles se tiennent mieux en main. Surlignez en couleur les mots-clés afin de voir d'un seul coup d'œil les grandes étapes de votre exposé et de vous assurer de respecter l'ordre prévu sans rien oublier.

Si vous utilisez un logiciel de présentation, imprimez votre exposé en miniatures, six écrans par feuille. Vous en aurez plusieurs sous les yeux et éviterez ainsi les surprises en affichant un écran que vous auriez oublié. De plus, vous pouvez ajouter des notes manuscrites que vous ne voulez pas voir affichées ainsi que le minutage prévu.

Se familiariser avec la salle

Si la salle vous est inconnue, allez la voir afin de vous familiariser avec sa disposition et ses équipements, et éviter ainsi les mauvaises surprises.

Dans certaines circonstances, vous aurez la possibilité de choisir l'agencement du local où aura lieu votre exposé. Les rangées conviennent bien à l'exposé magistral, alors que la répartition en U est appropriée pour le séminaire où l'auditoire est appelé à intervenir régulièrement.

Vérifier son matériel

Il est impératif de toujours tester son matériel dans les jours qui précèdent, ou à tout le moins avant le début de l'exposé afin d'éviter que l'audiovisuel ne devienne de «l'idiotvisuel». Très souvent, les ratés peuvent être évités en prenant un minimum de précautions.

Il est impératif de toujours tester son matériel dans les jours qui précèdent, ou à tout le moins avant le début de l'exposé.

- Certaines salles de classe sont équipées de tableaux blancs sur lesquels on écrit à l'aide d'un feutre effaçable. Si vous comptez utiliser le tableau pendant votre exposé, assurez-vous d'avoir au moins un feutre, sinon deux, ainsi que la brosse à effacer.

- Vérifiez que le projecteur à transparents fonctionne (branchement électrique, ampoule, commutateur, contrôles de la dimension et mise au point de l'image). Prévoyez une rallonge électrique s'il ne peut être éloigné suffisamment de l'écran.

- Assurez-vous de la lisibilité de vos transparents ou de vos écrans d'ordinateur en vous asseyant à la place la plus éloignée de l'écran.

- Si vous utilisez un ordinateur qui n'est pas le vôtre, familiarisez-vous avec son maniement et assurez-vous qu'il possède les périphériques requis (par exemple, un lecteur DVD).

- Branchez votre ordinateur portable. L'alimentation électrique fonctionne-t-elle? Êtes-vous capable de vous connecter au réseau?

- Démarrez votre présentation sur l'ordinateur de la salle.
  - Les caractères s'affichent-ils correctement? Ce point est important à vérifier, surtout si vous utilisez des polices de caractère spéciales.
  - Vos vidéos démarrent-elles? Les animations fonctionnent-elles? Le son est-il audible?

- Apprenez à faire fonctionner la télécommande du projecteur (canon) et gardez-la en main.

Répéter son exposé

Répétez au moins une fois votre exposé. Idéalement, faites-le devant un auditoire d'amis, de parents ou de collègues. Sinon, utilisez un miroir.

Vérifiez votre minutage en vous rappelant que le stress nous fait souvent parler plus vite, réduisant ainsi la durée de l'exposé.

DEVANT L'AUDITOIRE

Une fois bien préparé, arrive le moment de votre exposé. Plusieurs compétences sont alors mises en œuvre: gestion du stress, maîtrise des supports utilisés, contrôle de votre corps, gestion du temps, interactions avec l'auditoire et coordination entre les coéquipiers.

Gérer le stress

Le stress est incontournable, même chez des professionnels. Heureusement, il ne dure pas, à condition, bien sûr, qu'il ne soit pas le résultat d'une préparation déficiente.

Si, d'expérience, vous savez que le stress vous prive totalement de vos moyens, apprenez par cœur ou lisez le début de votre exposé. Cependant, il est impératif que cet artifice soit de courte durée, deux ou trois minutes au maximum, afin d'éviter d'ennuyer et de perdre votre auditoire.

Surveillez votre respiration: elle doit être profonde et régulière.

Concentrez-vous sur les visages qui affichent une attitude positive et fuyez le regard des gens qui semblent fermés ou hostiles à ce que vous dites.

Concentrez-vous sur les visages qui affichent une attitude positive et fuyez le regard des gens qui semblent fermés ou hostiles à ce que vous dites.

Affichez un visage souriant. Faites un peu d'humour, en faisant attention, bien sûr, à ce qu'il ne soit pas déplacé, blessant, sexiste ou raciste. Sourire et humour détendent l'atmosphère et contribuent à faire diminuer votre stress.

Démarrer l'exposé

Avant d'entamer l'exposé proprement dit, nommez-vous ainsi que vos coéquipiers (nom, fonction, titre, etc.).

p. 119

Introduction

Annoncez le but et le plan de la conférence, comme dans une introduction (sujet posé, sujet divisé). Contrairement au lecteur qui peut revenir en arrière, l'auditeur ne contrôle pas le déroulement de l'exposé. Il peut alors être utile d'écrire le plan au tableau ou de l'imprimer pour le distribuer. L'auditoire peut alors s'y référer tout au long de votre discours.

Se servir de ses notes

Ne lisez jamais un texte devant un auditoire, sinon dans les premiers instants de l'exposé pour chasser la nervosité.

Évitez de tenir vos notes, la tentation sera trop grande de les regarder, d'y chercher de l'information trop régulièrement et de rompre ainsi le rythme de votre présentation par des silences. Si votre exposé a été bien préparé, les mots-clés soulignés suffiront à assurer le suivi de votre plan tout en étant rapides à consulter.

Exploiter le tableau

Le tableau est un très bon outil pour réaliser des présentations en classe, à condition de respecter certaines règles.

- Vérifiez la disponibilité des craies et de la brosse avant le début de votre présentation. S'il le faut, allez en chercher dans une autre salle de classe inoccupée.

- Effacez le tableau avant de démarrer votre exposé.

- Il est toujours possible d'écrire certains éléments avant le début de l'exposé, comme le plan ou d'autres points. Souvent, ils resteront inscrits au tableau tout au long de l'exposé et vous pourrez y revenir.

- Si vous faites la présentation en équipe, vous pouvez séparer les tâches de l'exposé de celle de l'écriture. La personne qui parle peut alors faire face à la salle et son attention n'est pas mobilisée par le tableau. Préparez les feuilles de notes en plusieurs exemplaires afin que les membres de l'équipe puissent les consulter chacun de leur côté.

- N'hésitez pas à numéroter les titres et les sous-titres de votre exposé, cela facilitera la tâche de l'auditoire.

- Vous pouvez aussi compléter ce que vous écrivez par quelques feuilles distribuées à l'auditoire. Cela peut être le plan détaillé, un extrait d'un texte, quelques définitions importantes, des tableaux, des schémas ou des graphiques qu'il serait trop long de mettre au tableau. Il ne s'agit pas de remettre un long document ; quelques feuilles suffisent pour alléger votre utilisation du tableau.

- Enfin, évitez d'écrire des éléments provenant de différentes parties de votre exposé dans le même espace au tableau. Restez sobre dans l'utilisation des flèches qui relient des éléments éloignés sur le tableau, car, à la fin d'un exposé, cela peut devenir incompréhensible.

Montrer les documents visuels

Respectez les règles ci-après lorsque vous optez pour un ou l'autre des outils comme les cartons, les transparents, les vidéos, les écrans d'ordinateur ou les diapositives.

- Veillez à ce que les cartons soient bien fixés afin qu'ils ne tombent pas pendant la présentation. Sachez qu'il est très difficile de faire tenir un carton sur un tableau noir étant donné la nature de cette surface.

- Ajustez la luminosité dans la salle en fermant les rideaux ou en réduisant l'éclairage à l'avant de la salle.

- Affichez vos transparents ou vos écrans d'ordinateur en adaptant leur taille à l'écran et maximisez leur dimension tout en évitant qu'ils soient hors écran et ne débordent sur le mur. Assurez-vous que la mise au point est nette.

- Évitez de cacher des parties de vos transparents, cette pratique est désagréable pour votre auditoire. Pointez plutôt chacun des éléments à mesure que vous les commentez (utilisez votre doigt ou un crayon directement sur le transparent ou un pointeur laser sur l'écran).

- Utilisez toujours l'information présentée sur les cartons, les transparents, les écrans d'ordinateur ou les diapositives. Lorsque l'information s'y trouvant n'est pas reprise par l'orateur, ils deviennent alors une source de distraction pour l'assemblée.

Évitez de cacher des parties de vos transparents, cette pratique est désagréable pour votre auditoire.

Utiliser un langage approprié

Éliminez la familiarité, les anglicismes, les mots à la mode ou les tics de langage (genre, comme, tsé veux dire...), les fautes de syntaxe ou d'accord (si j'aurais), les liaisons fautives (vingt-z-enfants) et, de façon générale, toutes les fautes de français.

Adopter une bonne attitude

Un exposé met en œuvre notre posture, notre voix et notre regard.

Posture

Faites face à la salle : un visage est plus agréable à contempler qu'un dos. Votre voix portera aussi beaucoup mieux.

Ne masquez pas les écrans que vous projetez avec une partie de votre corps. Ne pointez pas avec votre doigt directement sur l'écran, utilisez plutôt un pointeur laser, le curseur de votre ordinateur (souris) ou encore votre doigt ou un crayon sur le transparent.

Déplacez-vous, évitez de rester assis. Une attitude corporelle statique endort l'auditoire. Il faut stimuler son sens de la vue. Utilisez vos mains et vos bras pour accompagner votre discours, sans tomber dans la démesure. Ne mettez pas vos mains dans vos poches, ne tripotez pas un objet (bouteille d'eau, crayon, trombone, etc.). Les déplacements doivent paraître naturels, sinon avoir un but précis. Évitez l'agitation.

Debout, restez bien appuyé sur vos deux pieds. Vous éviterez ainsi d'osciller de gauche à droite ou d'avant en arrière.

Ne croisez pas les bras sur votre poitrine. Cette pratique est à proscrire pour deux raisons : c'est un message de fermeture psychologique, et cela limite votre respiration, votre voix portant alors moins bien.

Voix

Assurez-vous que les gens assis au fond de la salle vous entendent bien. S'il le faut, posez-leur la question au départ.

Adoptez un rythme naturel, ne parlez pas trop vite. Modulez votre voix afin de retenir l'attention de l'assemblée.

Tenez compte des bruits ambiants comme celui du projecteur ou des bruits dans le corridor. Fermez la porte, si nécessaire.

Regard

Fixez les gens dans les yeux et maintenez le contact avec votre auditoire. N'arrêtez pas votre regard sur une seule personne.

Fixez les gens dans les yeux et maintenez le contact avec votre auditoire. N'arrêtez pas votre regard sur une seule personne. Deux stratégies s'offrent à l'orateur : regardez quelques individus répartis dans l'ensemble de la salle à tour de rôle ou établissez un lien visuel avec la plupart des gens. Il va sans dire que cette dernière stratégie est inopérante devant un très grand auditoire.

Gérer son temps

Respectez le temps imparti pour votre discours. Planifiez un minutage et inscrivez-le dans la marge de vos notes en regard des grandes articulations de votre exposé. Dans les premiers temps, vous aurez de la difficulté à vous y conformer, mais vous vous améliorerez avec l'expérience.

Prévoyez des soupapes de sûreté pour ajouter du contenu ou en retrancher, selon que vous êtes en avance ou en retard sur votre programme. Ces parties doivent évidemment être secondaires. Il peut s'agir d'anecdotes, d'exemples supplémentaires ou de renseignements plus détaillés.

Il est toujours difficile de prévoir les réactions et les interventions d'un auditoire. Préparez plusieurs questions, et attendez-vous à des silences ou à des débordements.

Souvenez-vous que la nervosité nous fait parler plus vite et que notre minutage s'en ressent. Il faut apprendre à la contrôler, par exemple en prenant de grandes respirations, et ralentir consciemment son débit lors des premières expériences.

Interagir avec l'auditoire

Un auditoire passif intègre moins facilement la matière. Soyez dynamique, invitez les gens à participer. Favorisez les interventions et valorisez ainsi l'assistance. Prévoyez des questions, de petites activités comme un sondage ou un petit test. Il peut même être utile de provoquer la réaction des gens, en évitant bien sûr les propos déplacés.

Favorisez les interventions et valorisez ainsi l'assistance.

Lors de votre exposé, le public peut avoir des questions et des commentaires. Voici quelques règles à respecter lorsque cela se produit.

- Répétez ce que les gens disent pour le bénéfice de l'assemblée. La plupart du temps, les gens sont timides et parlent à voix basse, et les autres personnes n'entendent pas.

- Évitez les dialogues entre vous et une personne, ou entre deux membres de l'assemblée. L'auditoire se sentira exclu et décrochera.

- Il est essentiel de récupérer les commentaires et les réponses à vos questions. Écrivez-les au tableau, vous valoriserez les personnes qui sont intervenues.

- Si vous êtes incapable de répondre à une question, dites-le, n'improvisez surtout pas une réponse, vous risquez de vous tromper et de miner votre crédibilité. Si c'est possible, annoncez que vous allez y revenir lors d'une prochaine séance.

- Si une question se révèle hors propos, ou encore qu'elle implique une très longue réponse, avisez l'auditoire que vous y répondrez à la pause ou à la fin de l'exposé.

Si vous avez prévu d'adresser des questions à l'assemblée, assurez-vous de respecter les points suivants.

- Planifiez ces questions et intégrez-les à votre exposé. Évitez les improvisations.

- Prévoyez des variantes ou des sous-questions si la salle ne répond pas. Par exemple, vous demandez à votre auditoire ce que représente le Siècle des lumières. Un grand silence s'ensuit. Revenez à la charge en précisant la question : quels furent les grands événements politiques ? scientifiques ? artistiques ? En général, il se trouvera toujours quelqu'un pour répondre et les autres personnes emboîteront le pas.

- Laissez du temps aux gens pour réfléchir. Trop souvent, l'orateur répond à la place de l'auditoire. Habituez-vous aux silences. Ils font partie des exposés.

Coordonner le travail des coéquipiers

Planifiez toujours le rôle et l'attitude des coéquipiers qui ne prendront pas la parole. Ces derniers doivent manifester de l'intérêt pour l'exposé en cours.

N'improvisez jamais une intervention pendant l'exposé d'un coéquipier. Cela génère du stress, peut lui faire perdre le fil de son discours et projette une image d'amateur. Si vos interventions sont planifiées et font partie de votre stratégie de présentation, assurez-vous que cela soit évident pour l'auditoire afin qu'on ne pense pas que vous improvisez.

BILAN

Il est toujours important de s'astreindre à faire un bilan après un exposé. Quelques questions vous y aideront.

- Comment cela s'est-il passé ?
- Quelles ont été mes réussites ? Puis-je encore les améliorer ?
- Quelles ont été mes erreurs ? Comment puis-je les éviter à l'avenir ?
- Ai-je bien utilisé le tableau et mes documents audiovisuels ?
- Mon élocution était-elle correcte ?
- Ma voix avait-elle assez de portée ?
- Ai-je conservé un contact visuel avec l'auditoire ?

L'art oratoire est très complexe parce qu'il implique la maîtrise d'une multitude d'habiletés, et qu'il ne permet pas ou peu les reprises ou les répétitions. Malgré les difficultés qu'il pose, c'est un art que vous avez intérêt à développer et à pratiquer parce que vous devrez fort probablement vous y adonner tant dans votre vie étudiante que professionnelle.

Pratiquer votre exposé

Répétez votre exposé, si possible devant un auditoire (amis, parents, collègues).

Vérifier votre matériel

Assurez-vous que votre matériel est complet et qu'il fonctionne bien.

Prévoir des soupapes de sûreté

Insérez dans votre présentation des sections qui pourront être abandonnées si vous manquez de temps.

Minuter votre exposé

Efforcez-vous de prévoir le temps pour chacune des parties de votre exposé et respectez ces périodes.

Garder le contact avec l'auditoire

Regardez votre auditoire plutôt que vos notes.

Être indulgent avec soi-même

N'oubliez pas que les techniques oratoires exigent beaucoup de temps et de pratique pour se développer.

Exploiter la typographie

- Tous les caractères se ressemblent-ils pour vous ?

- Savez-vous comment alléger la présentation de vos documents ?

- Les chiffres dans vos colonnes sont-ils alignés ?

- Savez-vous comment marier les différents types de caractères dans un document ?

- Vos documents ont-ils une allure alambiquée ?

L es utilisateurs de micro-ordinateurs ont aujourd'hui accès à des outils très puissants. En effet, la micro-informatique nous a habitués à un rythme de développement rapide, pour ne pas dire démentiel. Elle a inauguré une ère faste pour les « traiteurs de texte » : multitude de familles de caractères, polices à profusion, capacité graphique importante, collage électronique, etc. Par la suite, les imprimantes à jet d'encre couleur ou laser ont décuplé la qualité des productions des non-professionnels. À cela, se sont ajoutés les logiciels de présentation pour les exposés. Finalement, Internet a ouvert d'autres perspectives avec les pages Web personnelles et les blogues.

Tous ces perfectionnements ont fini cependant par poser un problème de taille aux utilisateurs : le manque de connaissances en graphisme et en typographie s'est fait cruellement sentir. Tout le potentiel mis à la disposition des gens de plume exige une maîtrise minimale des principes de base de ces domaines. Comme la plupart d'entre nous n'y sommes pas rompus, les résultats de nos compositions laissent parfois à désirer. Ce chapitre espère combler ce vide en présentant ces notions de base et quelques conseils pour leur utilisation. Les notions présentées dans ce chapitre sont complémentaires à certaines méthodes présentées ailleurs dans le manuel, entre autres dans les chapitres 9 et 11, « Rédiger » et « Discourir ».

DÉFINITION DES NOTIONS DE BASE

Pour s'y retrouver en typographie, il faut d'abord comprendre cinq notions : la police de caractère, la famille de caractère, l'empattement, la proportionnalité et le corps.

Police

Police

La police (par exemple Arial) regroupe un ensemble de caractères au graphisme commun : les lettres de l'alphabet, bien sûr, mais aussi la ponctuation et les caractères spéciaux (&, *, #, etc.), en fait, tout ce qui se retrouve sous les touches du clavier.

Famille

Famille

La famille se compose de toutes les variations d'une même police (normal, **gras**, *italique*, etc).

Empattement

On peut distinguer deux grandes catégories de familles de caractères : à empattements et sans empattements. Les polices Times New Roman ou Bookman sont des exemples de caractères à empattements alors que Arial ou Helvetica appartiennent à la classe des sans empattements. Les deux caractères qui suivent illustrent les différences entre ces deux types de familles (E majuscule, 72 points dans les deux cas).

Empattement

Le caractère à empattements possède une allure plus traditionnelle. Il se lit mieux aussi, on le dit plus littéraire. Les courbes de ses lettres guident l'œil du lecteur. Le caractère sans empattements est plus contemporain, plus sobre. Tout est évidemment question de culture : en Europe, on préfère le sans empattements alors qu'en Amérique du Nord, on opte généralement pour le caractère à empattements.

Proportionnalité

Il est possible de regrouper les familles de caractères d'une autre façon : les familles de caractères à espacement proportionnel (comme Arial et Times New Roman) et les familles de caractères à espacement non proportionnel (comme Monaco et Courier). Dans le premier groupe, la largeur occupée par un caractère est en fonction de sa taille. Ainsi, un « i » prendra moins d'espace qu'un « r ». Au contraire, les caractères à espacement non proportionnel sont toujours de la même largeur. Comme il est possible de le constater dans le mot « proportionnel » ci-dessous, l'espace alloué au « i » est moindre que celui pour le « t » et le « o » qui l'encadrent, alors que dans les mots « non proportionnel » de la seconde ligne toutes les lettres sont de la même largeur. La première ligne a été écrite avec du Helvetica majuscule 18 points ; la seconde, avec du Courier majuscule gras 18 points.

Proportionnalité

PROPORTIONNEL
NON PROPORTIONNEL

Le caractère non proportionnel est particulièrement utile pour les colonnes de chiffres, comme en témoigne l'exemple ci-dessous. En effet, les longues colonnes de chiffres écrites avec ce type de caractère se lisent beaucoup mieux parce que les nombres qui les composent sont toujours parfaitement alignés les uns en dessous des autres.

24	24
115	115
1289	1289
4117	4117
Bookman	Courier

Corps des caractères

Il existe deux unités de mesure en typographie : le point et le pica. Voici les règles de conversion pour chacune de ces unités :

- POINT : 72 points au pouce
- PICA : 6 picas au pouce (12 points au pica)

Point

Sur nos ordinateurs, la taille des caractères est exprimée en points. Il s'agit du corps du caractère. Cependant, il faut comprendre que le nombre de points ne renvoie pas à la hauteur même du caractère. En effet, il y a toujours un espace vierge au-dessus et en dessous du caractère proprement dit, sinon la lecture d'un texte s'avérerait une entreprise plus que difficile. Le corps d'un caractère comprend donc le caractère lui-même et les deux espaces blancs qui l'encadrent.

Les pattes des caractères, par exemple l'ascendante du « d » ou la descendante du « p », et les majuscules dépassent légèrement la hauteur d'un caractère tout en n'atteignant pas la hauteur exprimée par le corps. Compliqué ? Oui et non. Apparemment, une image vaut mille mots (mais combien de caractères ! ?). Cet adage se révèle encore vrai ici, comme en témoigne l'illustration suivante :

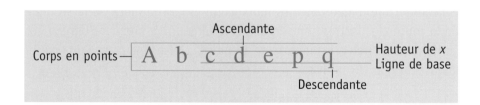

La hauteur de x correspond à la hauteur du caractère de basse casse (caractère qui n'est pas en majuscule) sans ascendante ni descendante. Toutes ces nuances permettent de comprendre ce qui distingue les familles de caractères. Une famille de caractères sans empattements comme Arial possède une hauteur de *x* légèrement supérieure à son équivalent avec empattements, tel le Times New Roman. De plus, les ascendantes et les descendantes du sans empattements sont légèrement moins prononcées. Voici une autre image qui viendra à notre secours et complétera cette explication.

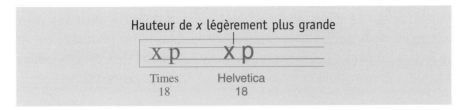

Heureusement, il n'est pas nécessaire de maîtriser toutes ces nuances pour faire un choix éclairé de corps de caractère. Cependant, cette connaissance peut s'avérer utile.

CHOIX TYPOGRAPHIQUES

Une fois les notions de base bien comprises, il faut penser à faire des choix appropriés pour combiner les familles de caractères, déterminer leur taille, opter pour un interligne adéquat et choisir les familles de caractères les plus efficaces pour l'affichage sur «écran» (cartons, acétates, écran d'ordinateur, etc.).

Variété et combinaisons

Le premier grand principe qui doit prévaloir dans toute composition graphique stipule qu'il ne devrait jamais y avoir plus de deux familles de caractères sur une même page. Les ordinateurs actuels, avec toute la polyvalence dont ils sont capables, prédisposent aux excès. Qui ne s'est jamais laissé tenter par l'utilisation de plus de deux familles de caractères sur une même page? La clarté et la cohérence souffrent toujours de cette prodigalité.

Il ne devrait jamais y avoir plus de deux familles de caractères sur une même page.

Toutes les associations de familles ne sont pas toujours heureuses. Il est recommandé d'allier des familles de caractères qui se distinguent facilement l'une de l'autre. Ainsi, le Palatino se marie mal avec le Times à cause de leur trop grande similitude.

A
Times

A
Palatino

De façon générale, un sans empattements sera joint à un avec empattements. Évitez autant que possible le regroupement de deux familles de caractères à empattements : le résultat risque d'être malheureux. Certaines combinaisons sont classiques, tels le Times New Roman pour le corps du texte et Arial pour les titres. Une autre combinaison courante est la suivante : Palatino pour les titres et Arial pour le corps du texte. Les deux combinaisons, sans empattements pour le titre et avec empattements pour le corps ou vice versa, sont présentées dans les deux exemples ci-dessous (à gauche : Palatino 14 points pour le titre et Helvetica 10 points pour le corps du texte ; à droite : Helvetica 14 points pour les titres et Bookman 10 points pour le corps du texte).

Le phénomène de la socialisation

Une première session dans un nouvel établissement comme un cégep représente une expérience nouvelle à la fois riche et stressante pour les élèves qui arrivent du secondaire. Pour la plupart d'entre eux, cela signifie le déracinement d'un milieu où ils avaient tressé au fil des ans un réseau d'amis.

Le phénomène de la socialisation

Une première session dans un nouvel établissement comme un cégep représente une expérience nouvelle à la fois riche et stressante pour les élèves qui arrivent du secondaire. Pour la plupart d'entre eux, cela signifie le déracinement d'un milieu où ils avaient tressé au fil des ans un réseau d'amis.

Taille

Taille

En général, les publications commerciales (livres ou magazines) sont imprimées en 9, 10, 11 et 12 points. Les éditeurs utilisent souvent du 12 points sur une colonne et du 10 points sur deux colonnes. Si certains trouvent que les 12 points sont un peu trop gros, ils sont pratiques quand on ne contrôle pas toujours la qualité de l'impression, qui, disons-le, peut laisser parfois à désirer.

Il est aussi conseillé, mais encore une fois tout est question de choix, de réduire la taille du caractère des notes en bas de page. Ainsi, un caractère de 9 points pour les notes accompagnera un caractère de 10 points pour le texte principal.

Interlignage

Interlignage

L'interlignage désigne l'espace blanc qui prend place entre les lignes de caractères. Il peut s'agir de l'espace entre les lignes d'un titre, entre les lignes du corps du texte ou encore entre le titre et le texte proprement dit.

Cet interlignage sera supérieur, égal ou inférieur en taille à la hauteur du caractère. On peut, par exemple, jumeler un caractère de 10 points avec un interlignage de 12, de 10 ou de 9 points. En général, les textes commerciaux sont du premier type (interlignage supérieur au caractère).

Pour ce qui est du texte, il est possible de jouer sur ce paramètre afin de produire certains effets. Ainsi, un interlignage légèrement plus grand que la moyenne accentue l'effet de légèreté du texte. On provoque l'effet contraire en inversant ce choix : le texte est plus dense et lourd lorsque l'interlignage s'avère trop petit par rapport au caractère. Par conséquent, il est toujours recommandé, dans la mesure du possible, d'aérer le matériel didactique en choisissant un interlignage supérieur au caractère.

En règle générale, le caractère choisi pour les titres est supérieur en taille à celui du texte. Dans ce cas, si le titre s'étend sur plus d'une ligne, il est préférable de réduire l'interlignage entre les lignes du titre sinon l'effet risque d'être désagréable pour l'œil, comme le montre l'exemple suivant.

Titre

Titre sur

deux lignes

Titre sur
deux lignes

Affichage sur écran

En général, un caractère sans empattements comme Arial se lit mieux sur un écran en salle et sur un écran d'ordinateur. Méfiez-vous aussi des arrière-plans qui rendent la lecture difficile.

Les règles proposées dans ce chapitre peuvent sembler *a priori* rigides et brimer ainsi la créativité. Ce n'est pas le but poursuivi. Des graphistes transgressent ces normes quotidiennement, mais il s'agit de professionnels, ce que ne sont pas la plupart des gens qui utilisent des micro-ordinateurs pour produire des documents. Dans ces conditions, il vaut mieux respecter des règles qui, à défaut de permettre des envolées artistiques, garantissent un produit de bon goût...

Rester sobre

Évitez la prolifération des polices de caractère dans un document.

Faire les choix appropriés

Optez pour les polices de caractères adéquates en fonction de l'information (exemple : caractère non proportionnel pour les listes de nombres).

Mélanger intelligemment

Combinez des polices à empattements et sans empattements.

Passer un examen

- Les examens sont-ils des épreuves aussi éprouvantes que désagréables?

- Faites-vous des cauchemars ou de l'insomnie la nuit précédant l'examen?

- Savez-vous quoi et comment étudier?

- Manquez-vous toujours de temps pour terminer vos examens?

- Le stress vous fait-il perdre tous vos moyens pendant l'examen?

- Obtenez-vous des résultats catastrophiques malgré la certitude d'avoir fait la bonne préparation d'examen?

Une évaluation, quel qu'en soit le type, vise deux objectifs: favoriser l'apprentissage et sanctionner un apprentissage. Les gens ont souvent tendance à oublier la première fonction, mais elle est tout aussi importante que la seconde, sinon plus. En effet, la finalité d'un système d'éducation est d'abord et avant tout de former des personnes. Par conséquent, le diplôme, en tant que sanction, garantit que l'individu a réalisé ses apprentissages.

Il faut donc envisager les méthodes reliées à l'examen en gardant à l'esprit ces deux fonctions. Les suggestions qui vous seront faites pour préparer et passer vos examens, puis en faire le bilan, devraient déboucher sur une meilleure compréhension de la matière et de meilleurs résultats.

PRÉPARER UN EXAMEN

Dans le milieu scolaire, on entend le commentaire suivant: «J'ai étudié beaucoup plus que d'autres élèves qui ont obtenu une meilleure note.», et cela s'avère souvent fondé. En effet, tout ne dépend pas du nombre d'heures de travail. On peut étudier longtemps, mais être mal préparé. Il faut alors corriger son tir en appliquant les méthodes proposées dans cette section.

Prendre connaissance des modalités

Il est essentiel de prendre connaissance des modalités propres à l'examen.

Afin de se préparer adéquatement, il est essentiel de prendre connaissance des modalités propres à l'examen. La première source d'information est le plan de cours. Complétez-le, si nécessaire, en posant des questions au professeur et aux autres étudiants du groupe. Les renseignements suivants devraient être colligés:

- Date et durée.

- Matière visée.

- Documentation et matériel autorisés ou interdits (notes, livres, calculatrice, ordinateur portatif, etc.).

- Type d'évaluation: objectif (vrai ou faux, choix de réponses), développement court ou long, problèmes à résoudre, dissertation, résumé, contrôle de lecture, test d'habileté, etc.

- Pondération des questions.

- Correction négative[1], s'il y a lieu.

- Critères ou grille de correction.

Prenez connaissance de ces règles dès qu'elles sont disponibles afin de mieux planifier votre travail.

EXERCICE

Prenez deux examens que vous devrez passer bientôt.
Relevez leurs modalités respectives.

Consulter les examens antérieurs

Révisez les examens que vous avez passés dans le cours. Portez une attention particulière à vos bonnes réponses, mais aussi à vos erreurs et aux commentaires du professeur.

Dans certains établissements, les évaluations des sessions antérieures peuvent être consultées. Lorsque c'est le cas, il est capital d'en prendre connaissance afin de vous faire une idée plus précise de ce qui vous attend.

EXERCICE

Révisez un de vos examens antérieurs.

Élaborer un plan d'étude

Afin d'éviter d'être pris au dépourvu à la dernière minute, élaborez un plan d'étude en trois points :

1. Déterminez le nombre d'heures que vous comptez consacrer à une épreuve.

2. Répartissez ces heures dans les semaines et jours précédant le moment de l'évaluation.

3. Établissez une liste de tâches.

Liste de tâches

---

1. Ce type de correction est utilisé pour corriger les effets pervers de l'examen objectif, en particulier le type vrai ou faux. En effet, ce genre d'examen peut permettre à quelqu'un qui ne connaît pas la matière d'obtenir 50 %, ce qui est inéquitable pour les autres étudiants. On enlève alors des points pour les mauvaises réponses. Par exemple, on attribue un point pour une bonne réponse, zéro point pour une absence de réponse et on soustrait un point pour une mauvaise réponse. L'étudiant qui tire à pile ou face ses réponses obtient alors des mauvais résultats. En général, dans ce type de correction, il est préférable de s'abstenir lorsqu'on doute de la réponse ou qu'on ne la connaît pas, ce qui n'est pas le cas lorsqu'il n'y a pas de correction négative.

Donnez-vous une marge de manœuvre :

- En prévoyant plus de temps de travail.

- En planifiant la fin de votre temps d'étude au plus tard deux jours avant l'examen. Vous aurez ainsi le temps de consulter le professeur ou un collègue si vous constatez que vous ne comprenez pas une partie de la matière. Vous pourrez aussi parer aux imprévus (rhume inopiné, travail de préparation plus important, etc.).

Arrêtez d'étudier au plus tard à 18 h le soir précédant l'examen. Vous vous permettez ainsi de prendre du recul par rapport à la matière et de diminuer votre niveau de stress. Cette suggestion, qui peut sembler irréaliste dans les faits, n'implique pas de travailler moins longtemps, mais tout simplement de planifier différemment votre temps d'étude.

EXERCICE

Élaborez un plan d'étude pour un examen d'un de vos cours.

Exécuter des tâches concrètes

Selon la nature de la matière et le type d'examen, les tâches seront différentes.

Démarrez tôt lorsque vous devez mémoriser de l'information.

- Démarrez tôt lorsque vous devez mémoriser de l'information. Il est plus efficace d'étudier six fois 10 minutes qu'une fois une heure, même si les totaux sont identiques. En effet, la répétition permet de mieux retenir l'information.

- Il est important aussi d'écrire et de ne pas se contenter de lire des définitions, des textes, vos notes de cours, ou de regarder des tableaux, des schémas ou des graphiques. Le fait d'écrire favorise la mémorisation tout en vous permettant de vérifier votre compréhension *avant* l'examen, ce qui est toujours préférable.

Glossaire

- S'il y a des définitions à mémoriser, la révision du glossaire est primordiale. Idéalement, ce dernier a été réalisé à l'ordinateur sous forme d'un tableau. Faites une copie du fichier sous un autre nom (par exemple, *révision glossaire*). Effacez toutes les définitions, ne conservant que la liste des concepts (colonne de gauche). Imprimez votre glossaire et écrivez les définitions. N'oubliez pas les exemples. Vérifiez vos réponses. Répétez cet exercice tant que vous ne maîtrisez pas les définitions. Il est possible également de faire une liste manuscrite des concepts et de la photocopier.

- Si des tableaux d'information, des schémas ou des graphiques apparaissent dans le manuel du cours ou dans vos notes, photocopiez-les. Effacez les renseignements (mots, chiffres, flèches, etc.) à l'aide d'un correcteur liquide ou d'un ruban correcteur. Faites-en une nouvelle photocopie afin de conserver votre original. Complétez votre tableau, schéma ou graphique. Corrigez votre travail. Comme dans le cas du glossaire de révision, vous pouvez répéter l'exercice plusieurs fois.

- Recopiez les questions que vous avez élaborées dans vos notes de cours sur des feuilles à part ou à l'ordinateur. Répondez aux questions par écrit. Reprenez vos notes de cours et assurez-vous de la véracité de vos réponses.

- Si vous avez des problèmes à résoudre (par exemple en mathématiques), faites des problèmes similaires ou revoyez ceux qui ont été faits en classe en cachant les réponses. Si le professeur a mis des exercices supplémentaires à votre disposition, profitez de cette aubaine. Inventez des problèmes de votre cru. Échangez-les avec des collègues.

- Si vous devez rédiger une dissertation en classe (par exemple en philosophie) et que le sujet est connu, faites les étapes « Rechercher et traiter l'information » et « Organiser les idées ». Écrivez le texte et faites-le lire par un collègue, un ami ou un parent. Si le sujet n'est pas connu, faites des synthèses de la matière (tableaux d'information, schémas, graphiques).

- Devez-vous démontrer certaines habiletés (par exemple, coups au badminton ou tâches d'une infirmière) ? Pratiquez-les. Imposez-vous des séances d'exercices similaires à ceux que vous aurez à faire pendant l'examen.

Questions

Tableau d'information
Schéma
Graphique
Rechercher et traiter l'information
Organiser les idées

EXERCICE

Pour un de vos cours : fabriquez un glossaire de révision, faites des copies de tableaux, de schémas ou de graphiques en les vidant de leur contenu, recopiez des questions de vos notes de cours. Complétez le tout. Corrigez vos réponses.

Concevoir des examens d'essai

Un examen d'essai est une évaluation semblable à celle que vous aurez à passer (questions objectives ou à développement, problèmes à résoudre, etc.) et que vous élaborez vous-même. Les questions que vous

Examen d'essai

avez formulées dans les marges de vos notes de cours vous seront des plus utiles. Mettez aussi à contribution votre glossaire, vos tableaux d'information, schémas et graphiques.

Soumettez-vous à cette épreuve en respectant la durée prévue pour l'examen, et corrigez votre travail.

Travaillez en équipe de deux ou trois personnes. Chacun des membres compose une évaluation, et les autres s'y soumettent. Dans une équipe de trois, chaque individu passera deux examens. Corrigez ensemble les trois « copies ».

EXERCICE

Entendez-vous avec un collègue de classe pour préparer un examen d'essai chacun de votre côté. Soumettez-vous mutuellement à l'examen de l'autre. Corrigez les deux examens. Faites une analyse de vos résultats.

PASSER UN EXAMEN

Évitez de commencer à répondre aux questions de l'examen sans avoir au préalable établi un plan de match.

Lisez les consignes : durée, type de crayon, type de papier, etc.

Prenez connaissance du nombre de questions et de pages. Il est toujours frustrant de perdre des points parce qu'on n'a pas répondu à la dernière question au verso de la dernière page du questionnaire !

Lire les questions

Qui n'a pas entendu plusieurs fois ce conseil : lisez attentivement les questions avant d'y répondre. Il arrive que le stress engendré par l'examen nous fasse lire trop rapidement les questions et nuise ainsi à leur compréhension.

Soulignez les mots-clés de la question.

Soulignez les mots-clés de la question. Comptez le nombre de parties afin d'éviter d'en oublier. Y a-t-il trois parties ? Numérotez-les et attribuez un titre à chacune d'entre elles, puis inscrivez ces numéros et titres dans votre réponse.

Gérer votre temps

Déterminez le temps que vous allez consacrer aux questions.

Par exemple, l'examen comprend trois questions à développement, deux valant 25 % et la troisième, 50 %. Vous disposez d'une heure pour répondre. Allouez 15 minutes à chacune des deux premières questions et 30 minutes à la dernière.

Autre exemple : vous devez répondre à 15 questions objectives et vous disposez de 30 minutes. Accordez alors deux minutes pour répondre à chaque question.

L'examen comporte plusieurs sections, chacune composée de différents types de questions (objectives, à développement, problèmes à résoudre, etc.). Attribuez à chaque partie un temps déterminé en fonction de la longueur de chacune d'entre elles.

Respectez votre minutage. Vous n'avez pas terminé une question dans le temps imparti ? Passez aux autres questions, car le nombre de points que vous êtes susceptible d'aller chercher est souvent moindre que ce que vous auriez obtenu en répondant aux autres questions. Laissez un espace blanc, vous pourrez compléter votre réponse s'il vous reste du temps à la fin de l'examen.

Ordonner vos réponses

Lisez l'énoncé des questions à développement. Attribuez-leur un niveau de difficulté (facile, moyen, difficile). Cette classification pourra varier d'un individu à un autre. Cette étape n'est pas nécessaire lorsque l'examen est composé uniquement de questions objectives ou d'un grand nombre de questions à développement court.

Répondez aux questions en allant des plus faciles aux plus difficiles. Il y a trois avantages à cette façon de procéder :

1. Vos bonnes réponses vous mettent dans une excellente disposition d'esprit pour la suite de l'évaluation.

2. Vous êtes en mesure de dégager du temps en répondant plus rapidement que ce que vous aviez déterminé. Ce temps sera réinvesti dans les questions plus difficiles.

3. Vous disposez favorablement le correcteur à votre égard, ce qui est toujours une bonne chose.

Prenez deux examens que vous avez passés récemment. Soulignez les mots-clés et indiquez le nombre de parties, s'il y a lieu. Établissez le minutage que vous auriez dû suivre pour chacune des questions ainsi que l'ordre dans lequel vous auriez dû répondre.

Rédiger un brouillon ?

Faut-il rédiger un brouillon et sacrifier du temps qui aurait pu être utilisé pour votre réflexion et la rédaction au propre par la suite ? Si vous suivez la méthode proposée dans le chapitre 9, « Rédiger », l'étape du premier jet est superflue.

Par ailleurs, si vous optez malgré tout pour la composition d'un brouillon, assurez-vous de réserver du temps pour le mettre au propre. Faites une évaluation de votre vitesse d'écriture lors d'un moment libre (pas durant un examen...) : recopiez une page d'un texte, n'importe lequel, comptez le nombre de lignes, et établissez le temps requis pour un certain nombre de lignes (exemple : une minute par tranche de 10 lignes).

Réviser votre copie

S'il vous reste du temps une fois l'examen terminé, ne quittez pas la salle. Révisez votre copie, relisez les questions à développement, revoyez vos réponses et corrigez l'orthographe. Il est plutôt rare qu'on obtienne un produit final sans erreurs dans le cadre d'une évaluation où le temps est limité.

Si vous avez en main la grille de correction, cochez les éléments que vous avez traités afin de vous assurer de ne rien oublier.

Rester concentré

La durée d'un examen étant limitée, il est essentiel de garder sa concentration afin d'utiliser tout le temps mis à votre disposition.

Si vous avez tendance à « être dans la lune », utilisez la technique des petites boîtes.

Technique des petites boîtes

S'il le faut, changez de place afin de vous mettre à l'abri des distractions (fenêtre donnant sur l'extérieur, collègue dérangeant, proximité de la porte et des bruits qui viennent du couloir, etc.).

Contrôler votre stress

Il existe différentes façons de gérer son stress. À vous de les connaître et de les mettre en pratique.

Techniques de relaxation

TRANSMETTRE L'INFORMATION

EXAMEN ORAL

L'examen oral est un cas un particulier qui offre beaucoup de similitudes avec une entrevue. C'est pourquoi nous lui consacrons une section spéciale, quoique courte, et que nous vous suggérons de consulter le chapitre « Passer une entrevue ».

- Assurez-vous de prendre connaissance des modalités (temps imparti, documentation autorisée, enregistrement de l'examen possible ou obligatoire, etc.).

- Si les questions ne sont pas connues d'avance, reportez-vous aux questions que vous avez élaborées dans vos notes de cours. Préparez des réponses (idées principales et secondaires, ainsi qu'un plan pour les présenter).

- Discutez du sujet avec des amis ou des collègues.

- Adoptez une attitude de respect et évitez les comportements disgracieux.

Questions

BILAN

L'étape du bilan est souvent négligée ; elle est pourtant essentielle. L'analyse de vos résultats fait partie du processus d'apprentissage, car elle constitue un des deux objectifs d'une évaluation.

Évaluez les raisons de vos succès.

Lorsque vous recevez votre copie corrigée, commencez par relever vos bonnes réponses. Évaluez les raisons de vos succès.

Arrêtez-vous ensuite sur vos erreurs. Lisez attentivement les commentaires du professeur, le cas échéant. Si l'examen fait l'objet d'une correction en classe, notez sur votre copie les explications et avertissements énoncés par le professeur. Dans la mesure du possible, établissez un petit pense-bête des bévues à ne pas répéter lors du prochain contrôle. Gardez à l'esprit que les commentaires et les corrections du professeur ont pour but de vous aider à apprendre et de vous améliorer.

Ce bilan gagne à être réalisé en équipe. Avec un ou plusieurs collègues, comparez vos réponses, les bonnes comme les mauvaises.

EXERCICE

Reprenez un de vos derniers examens et faites-en le bilan.

Les examens sont des étapes très importantes dans le cadre de vos études, et ce, quel que soit la matière. Une bonne préparation, une stratégie efficace pendant l'examen et une analyse de votre performance par la suite devraient contribuer à améliorer vos résultats. Réussir ses examens n'est pas une question de chance, mais d'efficacité.

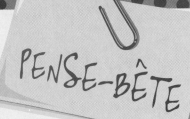

Connaître les modalités
Évitez les mauvaises surprises en prenant connaissance des modalités le plus tôt possible.

Planifier votre horaire
Concevez un plan d'étude.

Se référer aux examens précédents
Revoyez les examens précédents du cours, ceux que vous avez passés ou ceux des sessions antérieures, si possible.

Fabriquer des examens d'essai
Composez un examen semblable à celui que vous devrez passer, réalisez-le en respectant les règles annoncées et corrigez-le.

Travailler en équipe
Échangez des examens d'essai avec des collègues.

Arrêter de travailler la veille
Cessez d'étudier au plus tard à 18 h la veille de l'examen.

Lire les questions
Lisez attentivement les questions. Soulignez les mots-clés. Définissez le nombre de parties, s'il y a lieu, afin de vous assurer de ne pas en oublier une.

Minuter et ordonner
Attribuez un temps pour répondre aux questions à développement, et répondez aux questions en commençant par la plus facile et en terminant par la plus difficile.

Analyser votre performance
Faites un bilan de votre performance afin de reproduire les bons coups et d'éviter les erreurs.

Passer une entrevue

- La perspective de passer une entrevue vous stresse-t-elle excessivement ?

- Savez-vous comment vous préparer ?

- Ignorez-vous quelle attitude adopter pendant l'entretien ?

- Avez-vous l'impression de rater vos entrevues ?

- Évaluez-vous vos performances à la suite de vos entrevues ?

Une entrevue est toujours un événement important dans une vie, particulièrement lorsque vous amorcez une carrière, puisque vous manquez d'expérience à la fois comme travailleur et dans l'exercice même de l'entrevue. Il est donc essentiel de bien vous préparer, d'être à votre meilleur pendant l'entrevue et aussi de faire une analyse de votre performance.

PRÉPARER VOTRE ENTREVUE

Beaucoup de personnes négligent de planifier adéquatement leurs entrevues. Pourtant, il est possible de le faire en analysant minutieusement l'offre d'emploi, en soignant les documents que vous expédierez à l'employeur et en préparant des réponses aux questions susceptibles de vous être posées.

Décortiquer l'offre d'emploi

Lisez attentivement l'offre d'emploi. Soulignez les mots-clés qui apparaissent dans le texte.

L'entreprise

Faites une recherche sur la compagnie dans les journaux et dans Internet. Si cela est possible, contactez une personne de votre connaissance qui travaille dans l'entreprise afin d'obtenir de l'information. Procurez-vous le rapport annuel de l'organisation, s'il est disponible. Vous pourrez alors vous documenter sur ses marchés, ses performances, ses prévisions de développement, le nombre d'employés, l'organigramme et une foule d'autres renseignements.

Le poste

Assurez-vous de connaître les grandes lignes du poste que vous convoitez.

Assurez-vous de connaître les grandes lignes du poste que vous convoitez : tâches, qualifications (expérience, formation), supérieurs, subordonnés, collègues.

Le déroulement de l'entrevue

Essayez de connaître les modalités prévues pour l'entrevue, comme sa durée, les personnes qui seront présentes (noms, fonctions) et les types de questions et d'exercices sur lesquels vous serez évalué. Sachez que vous aurez peut-être à passer un test de français, à résoudre des problèmes, à vous soumettre à des simulations.

Les coordonnées

Localisez de façon précise l'entreprise, les routes d'accès ou le trajet en transport en commun. Vous éviterez les mauvaises surprises et les retards.

Rédiger les documents de votre offre de service

Vous devrez composer deux documents principaux : la lettre d'introduction et le curriculum vitæ (CV).

Il existe une multitude de sources dans Internet pour vous guider dans la préparation des documents servant à obtenir une entrevue, entre autres les sites d'offres d'emploi. Vous pouvez aussi vous procurer des logiciels spécialisés pour leur rédaction. De plus, les programmes de traitements de texte offrent des modèles généraux pour les composer.

La lettre d'introduction

La lettre d'introduction cherche à convaincre l'employeur de vous octroyer une entrevue. Elle doit être aussi attrayante que succincte, tout en faisant ressortir deux ou trois arguments démontrant l'excellence de votre candidature. En général, elle ne dépassera pas une page, puisque le CV la complète avec tous les détails pertinents.

Respectez quelques règles de base.

- Identifiez le poste (titre, numéro).
- Exposez rapidement votre expérience professionnelle, votre formation et, parfois, certains traits de personnalité faisant de vous un candidat de choix pour le poste.
- Assurez-vous de la qualité de la langue (orthographe, accord, syntaxe).
- Adoptez une mise en page similaire pour la lettre et le CV (papier, polices, etc.).
- Ne pliez jamais la lettre et le CV, utilisez une grande enveloppe.

Police

Le curriculum vitæ

Le CV est la pièce maîtresse de votre dossier. Il doit être impeccable : un document mal rédigé sera rapidement rejeté.

Disposez les renseignements en suivant un ordre chronologique, soit de la date la plus récente vers la plus ancienne, ou vice versa.

Selon votre profil et la nature de l'entreprise et du poste, le CV peut comporter jusqu'à sept parties.

Votre curriculum vitæ doit être impeccable.

1. Renseignements personnels : nom, adresse, téléphone, adresse de courriel, date de naissance, état civil (marié, célibataire), langues parlées et écrites.

2. Identification du poste, même si l'information apparaît dans la lettre d'introduction.

3. Formation : diplômes, cartes de compétence, bourses, cours particuliers. Inscrivez les dates correspondant à chaque élément.

4. Expérience : titre du poste et date d'occupation, employeur, courte description des tâches et des responsabilités.

5. Publications : articles, ouvrages, conférences, textes divers, pages Web.

6. Références : nom, poste, employeur et numéro de téléphone.

7. Divers : loisirs, bénévolat, sports, associations, projets de carrière.

Modifiez l'ordre de présentation de chacune de ces parties ou supprimez-en une si vous considérez que cela peut vous donner un avantage dans la sélection en entrevue.

Conservez toujours une copie de vos lettres d'introduction et de votre CV. Faites régulièrement une mise à jour en fonction de vos nouvelles expériences ou formations, même lorsque vous ne prévoyez pas soumettre votre candidature pour un poste à court terme. En effet, il est plus facile d'effectuer ce travail lorsque vos réalisations sont encore fraîches dans votre esprit.

La remise des documents

Idéalement, remettez la lettre, le CV et les lettres de référence en main propre au service du personnel. Si vous l'expédiez par courriel, demandez un accusé de réception afin de vous assurer que votre message s'est rendu à destination.

Certains organismes renouvellent leur banque périodiquement. Prévoyez répéter les envois.

Répondre aux questions types d'entrevue

Des questions types reviennent systématiquement dans les entrevues. Si leur formulation varie, l'objectif demeure toujours le même : déterminer qui est le meilleur candidat pour le poste.

Schéma d'entrevue
Questions types

Vous trouverez sur le site Internet un schéma général d'entrevue et un fichier reprenant toutes les questions énoncées à la suite de ce paragraphe. Prenez le temps de répondre par écrit à quelques questions par catégorie, idéalement avec un traitement de texte afin de conserver vos réponses. Certaines réponses seront les mêmes d'une entrevue à une autre. Par contre, selon le poste et l'entreprise, d'autres pourront varier.

Général

– Parlez-nous de vous.

– Pourquoi devrions-nous vous confier ce poste ?

– Quels sont vos loisirs ?

Antécédents professionnels

– En quoi vos expériences de travail vous qualifient-elles pour ce poste ?

– En quoi consiste votre expérience de travail ?

– En quoi vos expériences de travail vous ont-elles préparé pour occuper ce poste ?

– Qu'est-ce qui vous a motivé à quitter votre dernier emploi ?

– Pourquoi avoir changé d'emploi à plusieurs occasions ?

– Quelle était la nature de vos relations avec votre ancien employeur ? Votre ancien patron ?

Formation

– Quels diplômes détenez-vous ? Dans quels établissements ?

– Pourquoi avez-vous choisi cette formation ?

– En quoi cette formation vous prépare-t-elle à occuper ce poste ?

– Qu'avez-vous préféré dans votre formation ? Qu'avez-vous le moins aimé ?

– Avez-vous déjà changé de programme d'études ? Si oui, pourquoi ?

– Avez-vous aimé étudier ?

– Croyez-vous que vous auriez pu faire des études plus avancées ?

Réalisations

– Présentez-nous vos réalisations que vous considérez comme les plus importantes ? Pourquoi sont-elles importantes à vos yeux ?

– Quelles réalisations vous ont donné le plus de satisfaction ? Le plus de fierté ?

– Quels problèmes avez-vous éprouvés dans ces situations ?

Personnalité, valeurs et attitudes

– Qu'est-ce qu'une vie réussie pour vous sur le plan personnel ?

– Avez-vous des enfants ? Voulez-vous en avoir ? Combien ?

– Comment pensez-vous concilier vie familiale et vie professionnelle ?

– Quelles sont vos qualités ? Vos défauts ? Les points que vous voulez améliorer ?

– Qu'est-ce qui vous pousse à déployer de grands efforts ?

– Comment définiriez-vous le succès ? L'échec ?

– Comment réagissez-vous au stress et à la pression ?

– Qu'est-ce qui vous choque ? Vous met en colère ? Vous procure de la satisfaction ?

Relations interpersonnelles

– Décrivez la nature de vos relations avec vos collègues, vos subordonnés, vos supérieurs.

– Quelles qualités recherchez-vous chez vos collègues, vos subordonnés, vos supérieurs ?

– Préférez-vous travailler seul ou en équipe ?

– Avez-vous déjà éprouvé des problèmes dans une équipe de travail ? Avec des collègues ? Des subordonnés ? Des supérieurs ?

– Comment réagissez-vous face aux conflits interpersonnels ?

Objectifs de carrière

– Pourquoi avez-vous opté pour cette carrière ?

– Quel poste aimeriez-vous occuper dans 5 ans ? Dans 10 ans ?

– Quels sont vos projets à long terme ?

– En quoi le poste pour lequel vous postulez vous aidera-t-il à atteindre vos objectifs à long terme ?

– Qu'est-ce qu'une vie réussie pour vous sur le plan professionnel ?

Connaissance de l'emploi

– Qu'est-ce qui vous attire dans cet emploi ? Qu'est-ce qui vous fait peur ?

– Quelles sont vos appréhensions par rapport à ce poste ?

– Quelles difficultés pensez-vous connaître dans l'accomplissement des tâches liées à ce poste ?

– Quelles sont les qualités requises pour occuper ce poste ?

– La routine vous fait-elle peur ?

– Tenez-vous à un horaire régulier ?

– Accepteriez-vous de faire du temps supplémentaire très souvent ?

– La perspective de voyager vous plaît-elle ?

Connaissance de l'entreprise

– Pourquoi vouloir occuper un poste dans notre entreprise ?

– Pourquoi avoir fait une demande d'emploi dans notre organisation ?

– Quelles sont les forces de notre organisation ? Ses faiblesses ?

– Selon vous, quelles qualités faut-il posséder pour réussir dans notre entreprise ?

Salaire et avantages sociaux

– Qu'est-ce qui est le plus important à vos yeux : un emploi payant ou un emploi intéressant ?

– Quel salaire demandez-vous pour ce poste ?

– Quel était votre salaire dans votre dernier emploi ?

– Combien vous attendez-vous à gagner dans 5 ans ? Dans 10 ans ?

PASSER L'ENTREVUE

C'est le grand jour, vous devez vous présenter à votre entrevue. Il ne reste plus qu'à veiller aux derniers préparatifs et à prouver à vos interlocuteurs que vous êtes le meilleur candidat pour le poste.

Régler les derniers détails avant l'entrevue

La veille, vous avez sélectionné les vêtements que vous porterez en tenant compte de ce que vous croyez être les attentes de l'employeur. Parfois, une allure décontractée est mieux perçue que la robe élégante ou le veston-cravate.

Arrivez au moins 20 minutes à l'avance ; un retard, même justifié, n'est jamais bien perçu.

Arrivez au moins 20 minutes à l'avance ; un retard, même justifié, n'est jamais bien perçu.

Apportez le texte de l'offre d'emploi, votre lettre d'introduction, votre curriculum vitæ et vos lettres de recommandation.

Ayez en main un crayon et un calepin afin de pouvoir noter certains points, des questions ou des éléments de réponse.

Démontrer que vous êtes le meilleur candidat

On vous invite maintenant à entrer dans la salle pour votre entrevue. Voici les règles à suivre.

- Restez vous-même. Ne tentez surtout pas de vous présenter sous un jour qui ne correspond pas à votre personnalité. Cela sonne toujours faux et les gens qui font partie du comité de sélection ne seront pas dupes.

- Adoptez une attitude positive et ayez confiance en vous.

- Donnez une bonne poignée de main en entrant dans la salle.

- Attendez que l'on vous invite à vous asseoir avant de le faire.

- Demeurez assis et évitez de bouger continuellement. Ne mâchez pas de gomme, ne fumez pas. Regardez vos interlocuteurs dans les yeux.

- Regardez votre interlocuteur aussi souvent que possible. S'il y a plusieurs personnes, prenez également le temps de les regarder. Adressez-vous toujours en premier et en dernier lieu à la personne qui a posé la question.

- Prenez le temps de bien comprendre les questions avant d'y répondre. Posez vous-même des questions si vous n'avez pas bien saisi ce qu'on vous demande.

- Répondez de façon claire et concise.

- Discutez salaire et avantages sociaux. Bien sûr, c'est un point très délicat. Cela dit, certains employeurs abordent eux-mêmes cette question en entrevue. Préparez-vous, mais ne donnez pas l'impression que c'est votre préoccupation principale. Ne tombez pas non plus dans l'excès contraire en affirmant que ces questions ne vous importent pas.

- Si on vous demande quelle rémunération vous aimeriez obtenir, soyez réaliste, assurez-vous de connaître les barèmes dans le secteur et l'organisation. Si une fourchette de salaire est annoncée dans l'offre, proposez une somme près de la limite supérieure, en partant du principe que ce sera toujours plus facile de négocier ainsi.

- Informez-vous des suites et des délais.

- À la fin de l'entrevue, remerciez les gens de vous avoir reçu.

EXERCICE

Choisissez une offre d'emploi dans un quotidien. Préparez-vous. Demandez à une connaissance de vous faire passer une entrevue pour le poste. Idéalement, la personne devrait posséder une expérience dans un comité de sélection. Sinon, donnez à la personne une série de questions types en lui demandant d'en choisir quelques-unes. Une fois l'entrevue terminée, faites l'analyse de votre performance.

BILAN

En général, les gens sortent d'une entrevue en ayant le sentiment qu'ils auraient pu faire mieux. Cela est tout à fait normal, c'est une expérience toujours stressante.

Ajoutons que ne pas obtenir un poste à la suite d'une entrevue fait partie prenante du processus, même si vous aviez fignolé votre préparation et que vous avez le sentiment que votre prestation lors de l'entrevue était bien réussie. Il ne faut surtout pas vous décourager. Persistez, analysez votre performance, corrigez vos erreurs et vos efforts finiront par être récompensés.

Ne pas obtenir un poste à la suite d'une entrevue fait partie prenante du processus.

Dans certaines circonstances, il est possible de contacter les gens qui ont effectué l'entrevue afin de leur demander quelles ont été vos forces et vos faiblesses. Évaluez la situation et faites appel à eux si vous croyez qu'ils accepteront de vous faire part de leurs commentaires.

La plupart d'entre nous passent peu d'entrevues, et elles s'échelonnent souvent sur de longues périodes. En conséquence, nous manquons de « pratique ». Il faut donc être indulgent avec soi-même. Plutôt que de vous concentrer sur les points que vous croyez avoir ratés, recherchez d'abord ce que vous pensez avoir bien fait. Par la suite, cernez vos erreurs et demandez-vous comment vous pourrez les corriger lors de votre prochaine entrevue. Notez ces points afin de pouvoir les retracer plus tard.

Si vous n'avez pas de réponse dans les délais annoncés, vous pouvez faire une relance. Les entreprises n'expédient pas toujours un accusé de réception pour les curriculum vitæ. Par contre, la plupart d'entre elles vous enverront une lettre pour vous signifier, le cas échéant, que votre candidature n'a pas été retenue.

Vous pouvez détenir toutes les compétences requises pour occuper un poste, cela n'est pas une garantie que vous allez l'obtenir. Encore faut-il être en mesure de faire la preuve de vos aptitudes lors d'une entrevue. Préparez soigneusement vos entrevues, soyez à la hauteur de votre expertise devant les gens qui vous évaluent et n'oubliez pas de faire un bilan de votre performance. Bonne chance !

Se renseigner

Assurez-vous de connaître l'entreprise et le poste.

Préparer l'entrevue

Faites l'effort de répondre par écrit à quelques questions types de chaque catégorie.

Penser positif

Ayez confiance en vos compétences et en votre capacité à les mettre en valeur.

Corriger vos erreurs

Que pourriez-vous améliorer afin de ne plus répéter les mêmes erreurs ?

CONCLUSION

La conclusion est la fin d'un ouvrage, d'un récit ou d'une histoire. Il s'agit d'un processus par lequel on met un terme à une démarche.

Peut-on alors clore ce livre de méthodes de travail intellectuel ? Non parce qu'il est toujours possible de s'améliorer et ces méthodes ne sont jamais acquises une fois pour toutes.

Les méthodes de travail ne constituent pas des dogmes ou des vérités immuables. Pour bien les appliquer, non seulement vous pouvez, mais vous devez vous les approprier en les améliorant, en les adaptant à votre personnalité et aux contextes dans lesquels vous les mettez en œuvre. Ajoutez-y votre touche personnelle et vous n'en serez que plus efficace.

Bon travail !

REPÈRES DES NOTIONS ESSENTIELLES